A-Z DERBY

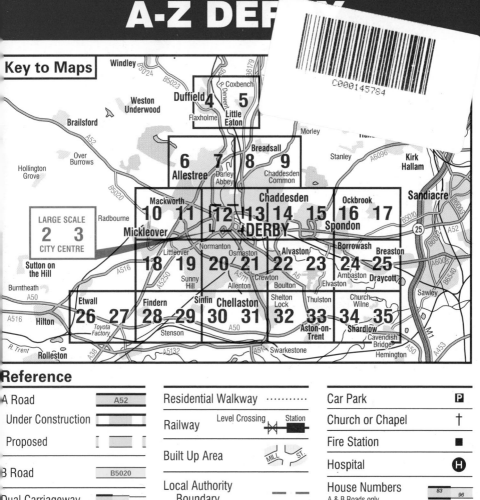

Key to Maps

C000145784

Windley · Coxbench · Duffield **4** **5** · Little Eaton · Flaxholme · Weston Underwood · Morley · Brailsford · Breadsall · Stanley · A6096 · Kirk Hallam · Over Burrows · Hollington Grove · Allestree **6** **7** **8** **9** · Darley Abbey · Chaddesden Common · Sandiacre · Mackworth **10** **11** **12 13** **14** **15** Chaddesden **16** **17** Ockbrook · Spondon · **LARGE SCALE 2 3 CITY CENTRE** · Radbourne · Mickleover · **DERBY** · Borrowash · Breaston · Sutton on the Hill · Littleover · Normanton · Osmaston **18** **19** **20 21** **22** **23** Alvaston **24** **25** Draycott · Burntheath · Sunny Hill · Crewton · Boulton · Ambaston · Elvaston · Sawley · Allenton · Hilton · Etwall **26** **27** Findern **28 29** Sinfin **30** **31** Chellaston **32** **33** Shelton Lock · Thulston · Church Wilne **34** **35** · Toyota Factory · Stenson · Aston-on-Trent · Shardlow · Rolleston · Swarkestone · Cavendish Bridge · Hemington

Reference

A Road	A52
Under Construction	
Proposed	
B Road	B5020
Dual Carriageway	
One Way A Roads	
Traffic flow is indicated by a heavy line on the drivers' left.	
Pedestrianized Road	
Restricted Access	
Track	
Footpath	

Residential Walkway	
Railway	Level Crossing · Station
Built Up Area	
Local Authority Boundary	
Posttown Boundary	
By arrangement with the Post Office	
Postcode Boundary	
Within Posttown	
Map Continuation **10**	Large Scale City Centre **3**
Ambulance Station	

Car Park	P
Church or Chapel	†
Fire Station	■
Hospital	H
House Numbers	83 96
A & B Roads only	
Information Centre	i
National Grid Reference	³35
Police Station	▲
Post Office	★
Toilet	▽
with facilities for the Disabled	

Scale

1:15,840
4 inches to 1 mile

0   ¼   ½   ¾ Mile

0   250   500   750 Metres   1 Kilometre

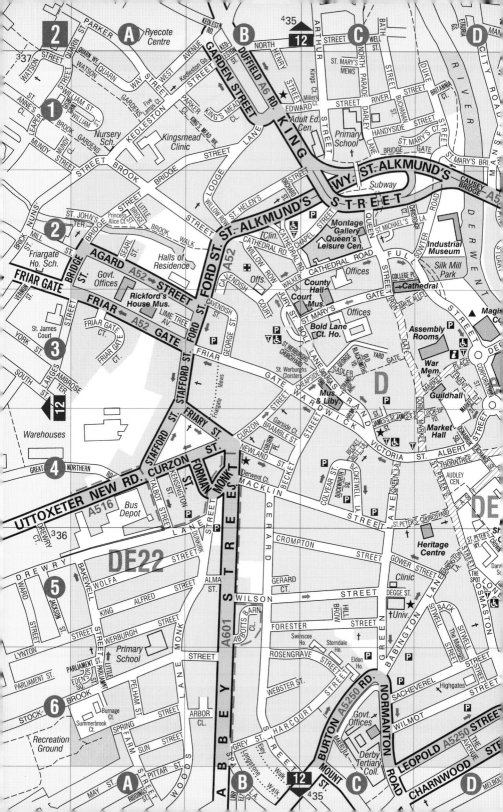

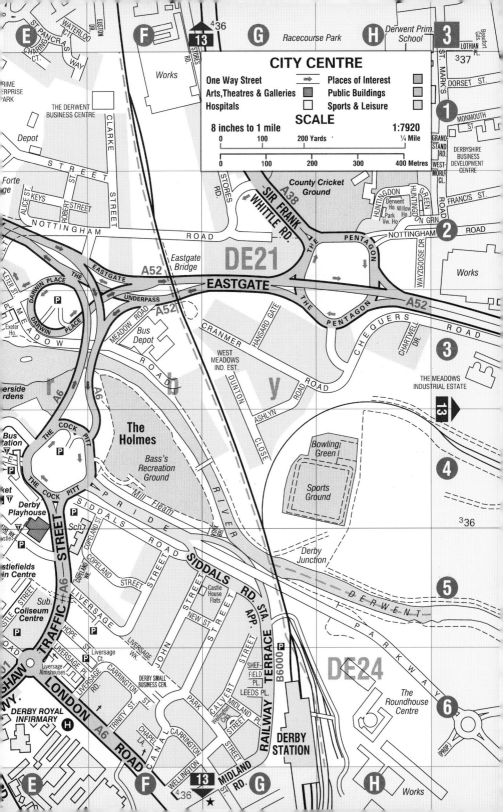

CITY CENTRE

One Way Street	➡	Places of Interest	▨
Arts, Theatres & Galleries	▨	Public Buildings	▨
Hospitals	☐	Sports & Leisure	▨

SCALE

8 inches to 1 mile

1:7920

¼ Mile

0   100   200 Yards

0   100   200   300   400 Metres

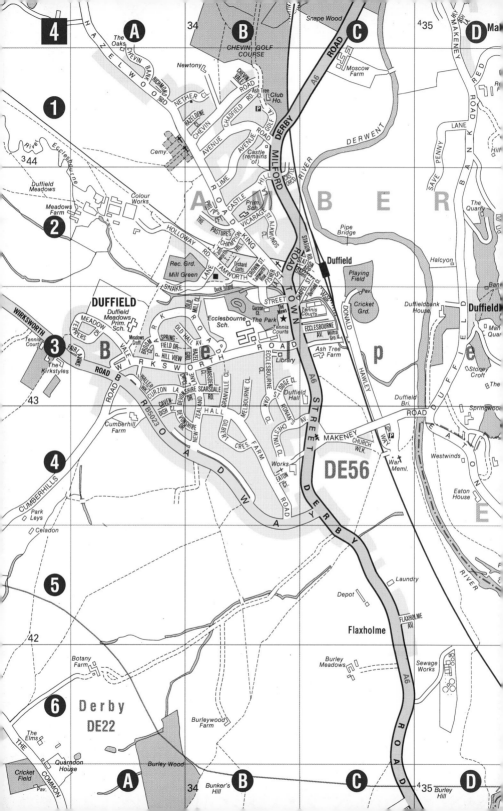

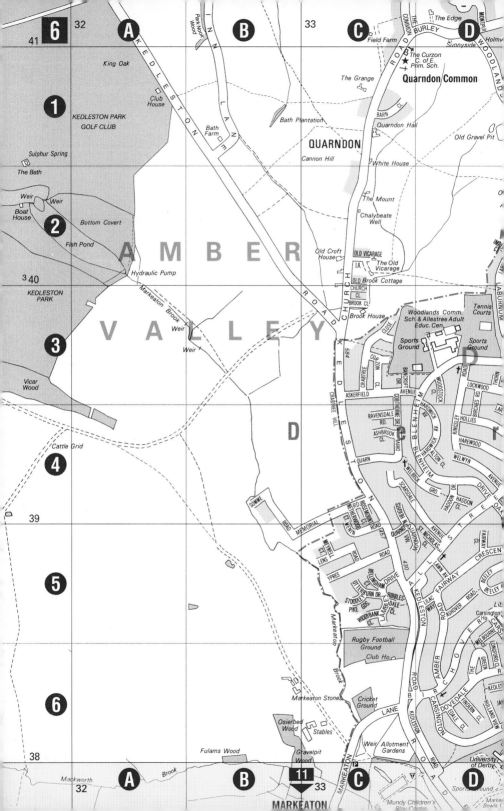

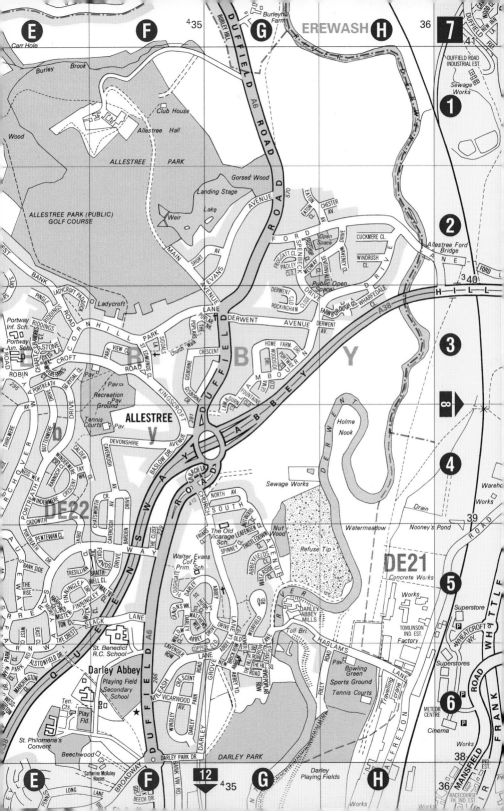

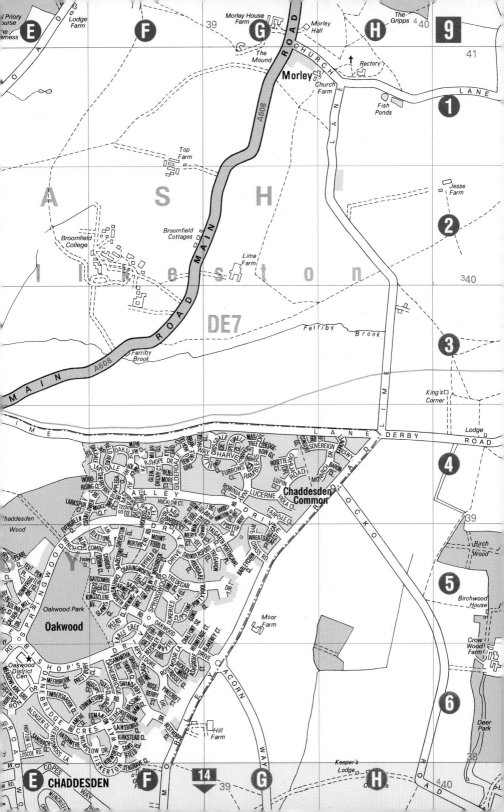

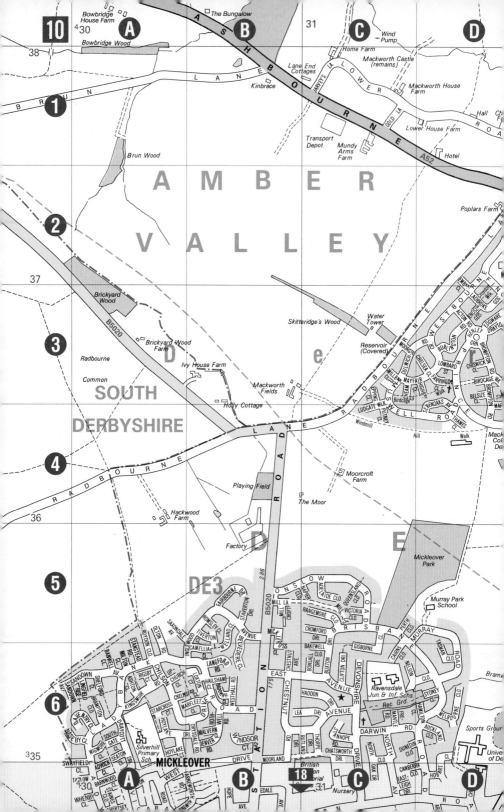

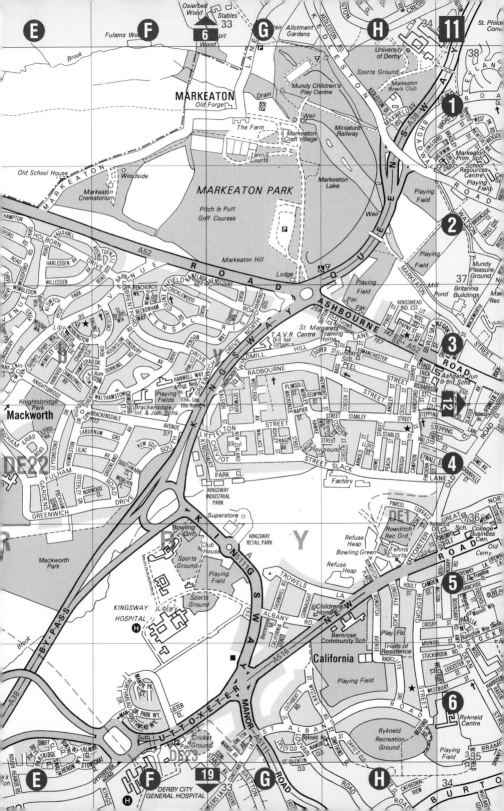

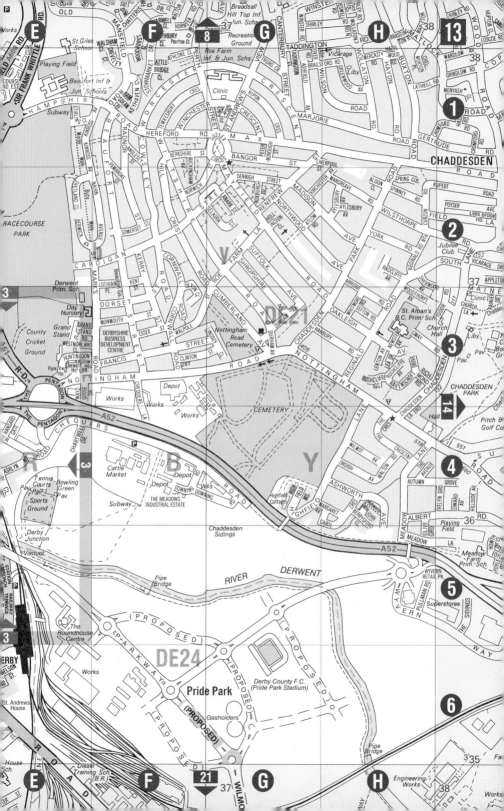

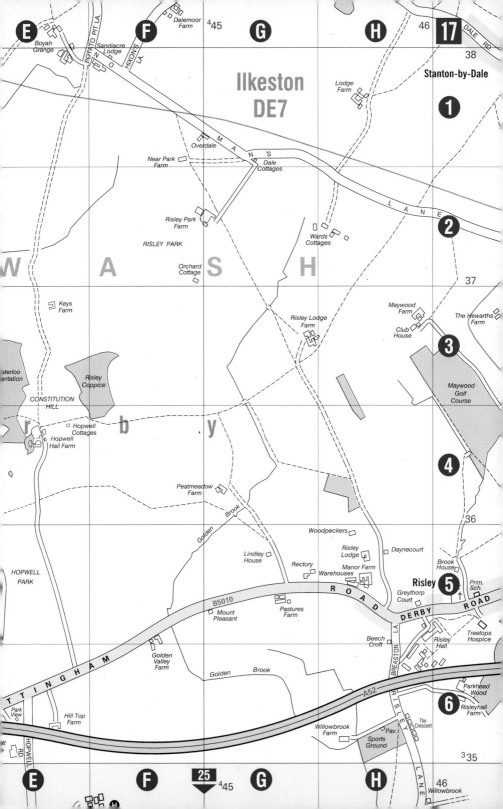

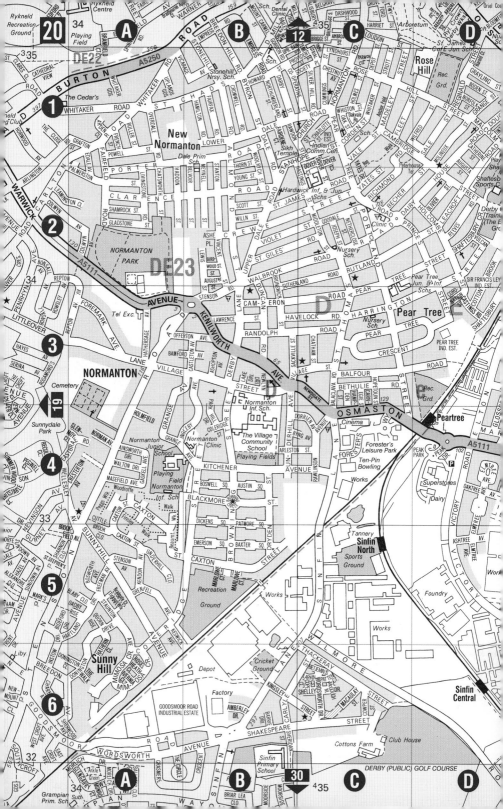

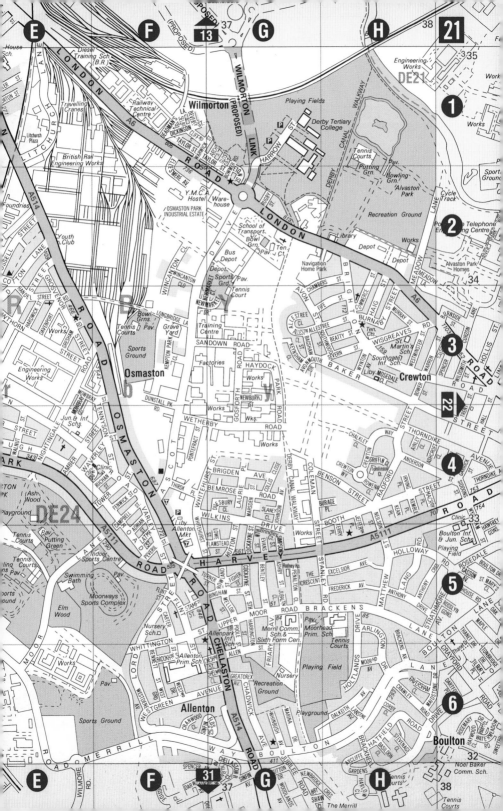

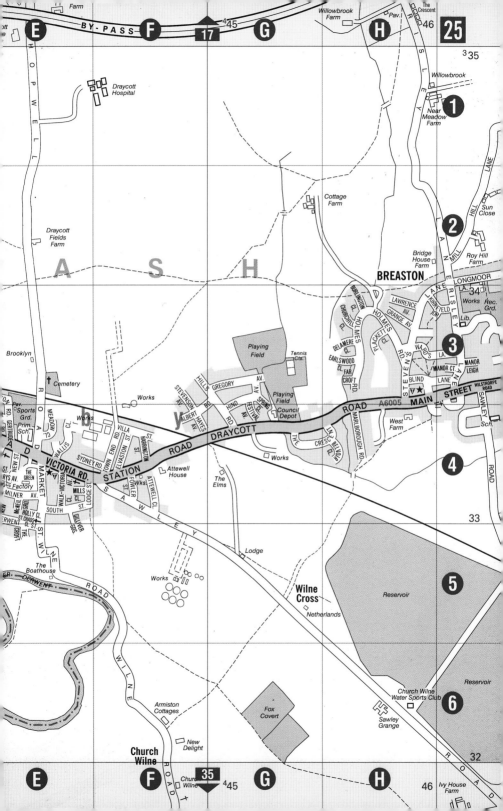

Farm

Willowbrook Farm

Pav.I   The Crescent   46   ³35

RISLEY

Willowbrook

Draycott Hospital

Near Meadow Farm   **1**

HOPWELL

HILL LANE   MILL LANE

Sun Close

2

Bridge House Farm

Roy Hill Farm

Draycott Fields Farm

Longmoor   ³34

Works   Lib.   Rec. Grd.

BREASTON

ERISLEY LANE

A   S   H

Cottage Farm

BURLINGTON CL.   LAWRENCE AV.   GRANGE AV.   KIRK'FIELD   LA.   KIRK'FIELD

CHURCHILL CL.   HOLMES CL.

HOLMES

Brooklyn

DELAMERE CL.   PLACKETT'S

EARLSWOOD CL.   FAR.

WAG'S

MANOR CT.   MANOR LEIGH   **3**

CROFT RD.

STEVENS RD.   BLIND LANE   WILSTHORPE ROAD

Cemetery

ROAD   MEADOW CL.

Sports Grd.   Prim. Sch.

Works

Works

HILLS RD.   GREGORY   AV.   Tennis Cts.

STEVENSON AV.   HIND RD.   SPRING AV.   FESTIVAL AV.

Playing Field

Playing Field

Council Depot

ROAD   DRAYCOTT   A6005   **MAIN   STREET**

Sch.

SAWLEY RD.

VILLA   ALBERT   HAYES AV.

MALLIS CL.   HARRINGTON ST.   ELVASTON ST.

West Farm

Works

THE CRESCENT   MARLBOROUGH RD.   LN.   BELVOIR

Works

SYDNEY RD.   TOWN END RD.

b

VICTORIA RD.   STATION

Attewell House

THE GREEN

MILNER AV.

ST MARY'S AV.   Factory

MILLS CL.   ALFORD ST.   FOWLER ST.   ATTEWELL CL.

SOUTH

HOLLY CL.   CHADOS   SAWLEY   The Elms   ³³

GULLIVER   GDS.

DERWENT ST.   THE CROFT   ST.

ST. WILNE

The Boathouse   Lodge

DERWENT   ROAD   Works   **Wilne Cross**   Reservoir   **5**

RIVER   Netherlands

WILNE   ROAD

Armiston Cottages   Church Wilne Water Sports Club   Reservoir

6

Sawley Grange

Fox Covert

New Delight

Church Wilne

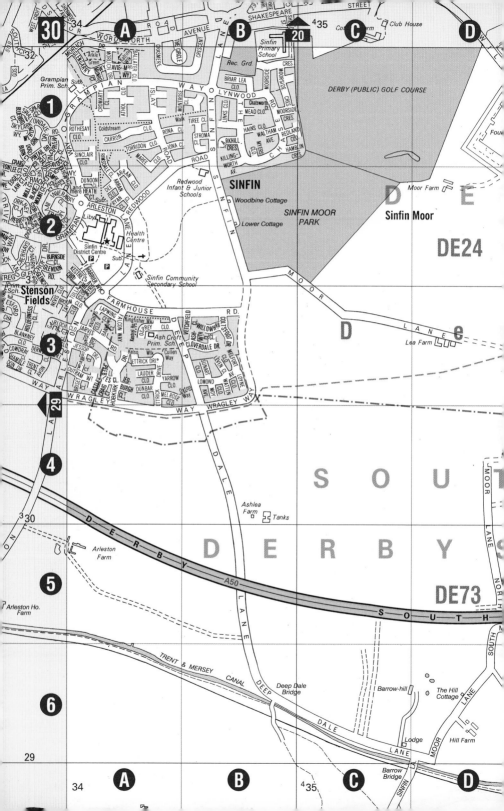

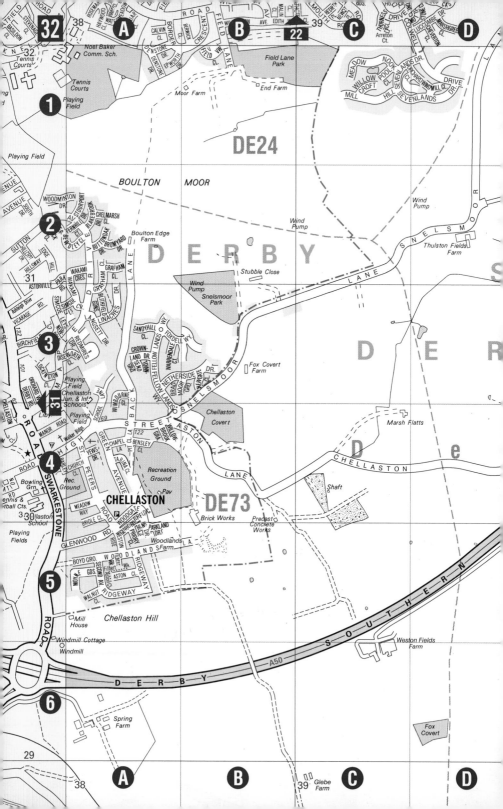

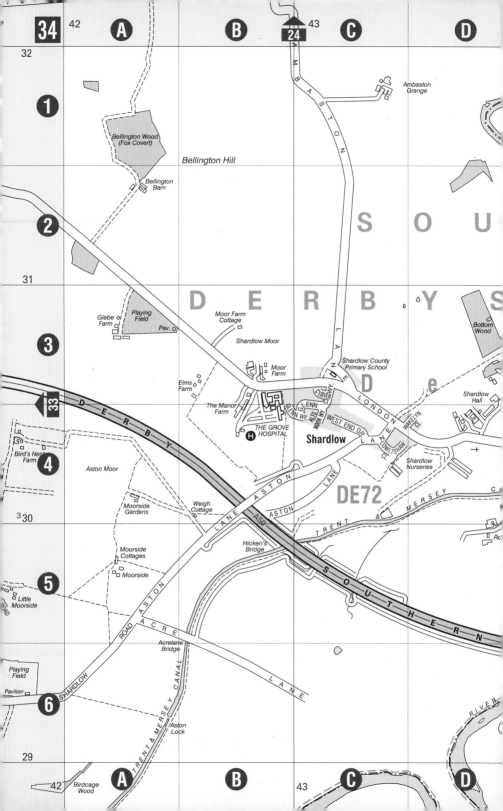

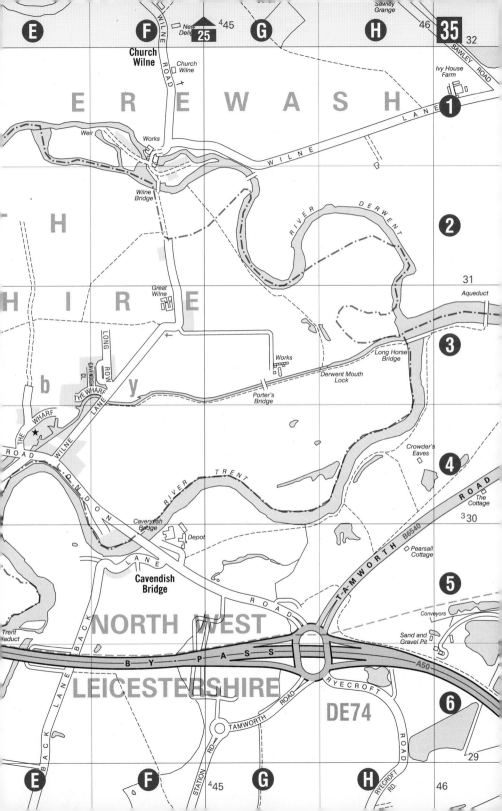

INDEX TO STREETS

HOW TO USE THIS INDEX

1. Each street name is followed by its Posttown or Postal Locality and then by its map reference; e.g. Abbeyfields Close. Dar A —5G **7** is in the Darley Abbey Postal Locality and is to be found in square 5G on page **7**. The page number being shown in bold type.
A strict alphabetical order is followed in which Av., Rd., St., etc. (though abbreviated) are read in full and as part of the street name; e.g. Ash Clo. appears after Ashby St. but before Ashcombe Gdns.

2. Streets and a selection of Subsidiary names not shown on the Maps, appear in the index in *Italics* with the thoroughfare to which it is connected shown in brackets; e.g. *Ashbourne Ho. Spon —5E* **15** *(off Arnhem Ter.)*

3. The page references shown in brackets indicate those streets that appear on the large scale map pages 2 & 3;
e.g. Abbotts Barn Clo. Der —5B **12** (5B **2**) appears in square 5B on page **12** and also appears in the enlarged section in square 5B on page **2**.

GENERAL ABBREVIATIONS

All : Alley
App : Approach
Arc : Arcade
Av : Avenue
Bk : Back
Boulevd : Boulevard
Bri : Bridge
B'way : Broadway
Bldgs : Buildings
Bus : Business
Cen : Centre
Chu : Church
Chyd : Churchyard
Circ : Circle
Cir : Circus

Clo : Close
Comn : Common
Cotts : Cottages
Ct : Court
Cres : Crescent
Dri : Drive
E : East
Embkmt : Embankment
Est : Estate
Gdns : Gardens
Ga : Gate
Grn : Green
Gro : Grove
Gt : Great
Ho : House

Ind : Industrial
Junct : Junction
La : Lane
Lit : Little
Lwr : Lower
Mnr : Manor
Mans : Mansions
Mkt : Market
M : Mews
Mt : Mount
N : North
Pal : Palace
Pde : Parade
Pk : Park
Pas : Passage

Pl : Place
Rd : Road
S : South
Sq : Square
Sta : Station
St : Street
Ter : Terrace
Up : Upper
Vs : Villas
Wlk : Walk
W : West
Yd : Yard

POSTTOWN AND POSTAL LOCALITIES ABBREVIATIONS

Altn : Allenton
Alst : Allestree
Alv : Alvaston
Ast T : Aston-on-Trent
Bar T : Barrow-on-Trent
Belp : Belper
Borr : Borrowash
Bo M : Boulton Moor
Bread : Breadsall
Breas : Breaston
Cas D : Castle Donington
Chad : Chaddesden

Chel : Chellaston
Cox : Coxbench
Dal A : Dale Abbey
Dar A : Darley Abbey
Der : Derby
Dray : Draycott
Duf : Duffield
Egg : Egginton
Elv : Elvaston
Etw : Etwall
Find : Findern
Holb : Holbrook

Hors : Horsley
Ilk : Ilkeston
Kgswy : Kingsway
L Eat : Little Eaton
L'ver : Littleover
Mack : Mackworth
Mak : Makeney
Mick : Mickleover
Milf : Milford
Morl : Morley
Oak : Oakwood
Ock : Ockbrook

Quar : Quarndon
Ris : Risley
Shar : Shardlow
Sh L : Shelton Lock
Sin : Sinfin
Spon : Spondon
Sun : Sunnyhill
Swar : Swarkestone
Thul : Thulston

INDEX TO STREETS

Abbeyfields Clo. Dar A —5G **7**
Abbey Hill. Alst & Bread —4G **7**
Abbey Hill Rd. Alst —5D **6**
Abbey La. Dar A —6G **7**
Abbey St. Der —6B **12** (6B **2**)
Abbey Yd. Dar A —6G **7**
Abbot Clo. Oak —5C **8**
Abbotts Barn Clo. Der
—5B **12** (5B **2**)
Aberdare Clo. Oak —5F **9**
Abingdon St. Der —4D **20**
Abney Clo. Mick —1D **18**
Acacia Av. Mick —2C **18**
Acer Croft. Oak —5C **8**
Acorn Clo. Sh L —2G **31**
Acorn Way. Der —6G **9**
Acre La. Shard —5A **34**
Acton Rd. Der —3D **10**
Addison Rd. Der —3D **20**
Adelaide Clo. Mick —5C **10**
Adler Ct. Der —2D **12**
Adrian St. Der —5F **21**
Adwick Clo. Mick —1A **18**
Agard St. Der —3B **12** (2A **2**)
Ainley Clo. Der —4A **20**
Ainsworth Dri. Der —4A **20**
Airedale Wlk. Alv —5C **22**
Albany Rd. Der —5G **11**
Albemarle Rd. Chad —2B **14**
Albert Cres. Chad —5B **14**
Albert Rd. Breas —4F **25**
Albert Rd. Chad —4H **13**
Albert St. Der —4C **12** (4D **2**)

Albion St. Der —4C **12** (4D **2**)
Albrighton Av. Sin —3H **29**
Alder Clo. Oak —4C **8**
Alderfen Clo. Sh L —2F **31**
Alderley Ct. Oak —5E **9**
Aldersgate. Der —2D **10**
Alderslade Clo. Ast T —4H **33**
Aldersley Clo. Find —4A **28**
Alder Wlk. Der —6C **12**
Aldwych. Der —3E **11**
Alexandra Gdns. Der —1D **20**
Alexandre Clo. L'ver —5H **19**
Alfreton Rd. Der —1D **12**
Alfreton Rd. L Eat —6F **5**
Alice St. Der —3D **12** (2E **3**)
Alison Clo. Chad —2H **13**
Allan Av. L'ver —3C **18**
Allen St. Altn —6G **21**
Allestree Clo. Der —3G **21**
Allestree La. Der —5D **6**
Allestree St. Der —3G **21**
All Saints Ct. Mick —2B **18**
Alma Heights. Mick —2C **18**
Alma St. Der —5B **12** (5B **2**)
Almond St. Der —1B **20**
Alsager Clo. Oak —6E **9**
Alstonfield Dri. Alst —6E **7**
Alton Clo. Alst —4D **6**
Alts Nook Way. Shard —4C **34**
Alum Clo. Alv —4C **22**
Alvaston Pk. Homes. Der —2A **22**
Alvaston St. Alv —3B **22**
Alverton Clo. Mick —2A **18**

Alward's Clo. Alv —5A **22**
Alward's Ct. Alv —5A **22**
Ambaston La. Thul —6G **23**
Amberley Dri. Sin —6B **20**
Amber Rd. Alst —6D **6**
Amber St. Der —4E **21**
Ambrose St. Der —6C **12**
Ambrose Ter. Der —4A **12**
Amen All. Der —4C **12** (3C **2**)
Amesbury La. Oak —5C **8**
Amy St. Der —5A **12**
Anchor Fold. Der —1C **20**
Anderson St. Alv —4H **21**
Andrew Clo. L'ver —4C **18**
Anglers' La. Spon —1E **23**
Anglesey St. Der —1F **13**
Anne Potter Clo. Ock —4A **16**
Anstey Ct. Oak —6E **9**
Anthony Cres. Alv —5H **21**
Anthony Rd. Alv —5H **21**
Antony Ct. Spon —4E **15**
Appian Way. Alv —5D **22**
(in two parts)
Appleby Ct. Der —6A **12**
Applecross Ct. Sin —2H **29**
Appledore Dri. Oak —6F **9**
Applegate Clo. Oak —4F **9**
Appleton Clo. Chad —2A **14**
Appletree Clo. Borr —2A **24**
Arbor Clo. Der —5B **12** (6B **2**)
Arboretum Ho. Der —6D **12**
Arboretum Sq. Der —6D **12**
Arboretum St. Der —6D **12**

Archer St. Der —1G **21**
Archibald All. Duf —2B **4**
Arden Clo. Der —1A **20**
Ardleigh Clo. Mick —3B **18**
Argyle St. Der —6B **12**
Argyll Clo. Spon —4F **15**
Arkendale Wlk. Alv —5C **22**
Arkle Grn. Sin —1A **30**
Arkwright St. Der —4E **21**
Arleston La. Sin —2A **30**
Arleston St. Der —4B **20**
Arlington Dri. Alv —5H **21**
Arlington Rd. Der —2H **19**
Armscote Clo. Oak —5F **9**
Arnhem Ter. Spon —5E **15**
Arnold St. Der —4H **11**
Arran Clo. Sin —2A **30**
Arreton Ct. Alv —6C **22**
Arridge Rd. Chad —2H **13**
Arthur Ct. Der —1D **20**
Arthur Hind Clo. Der —2A **12**
Arthur Neal Ho. Der —3F **11**
Arthur St. Der —2C **12** (1C **2**)
Arthur St. Dray —3D **24**
Arundel Av. Mick —1D **18**
Arundel Dri. Spon —4F **15**
Arundel St. Der —5H **11**
Ascot Dri. Der —4F **21**
Ashbourne Ct. Der —4A **12**
Ashbourne Ho. Der —5E **15**
(off Arnhem Ter.)
Ashbourne Rd. Der —1B **10**
Ashbrook Av. Borr —1A **24**

Ashbrook Clo. Alst —4C **6**
Ashby St. Altn —5G **21**
Ash Clo. Alst —3D **6**
Ashcombe Gdns. Oak —6F **9**
Ashcroft Clo. Alv —4H **21**
Ashe Pl. Der —2B **20**
Ashfield Av. Chad —1G **13**
Ashgrove Ct. Oak —6F **9**
Ash Gro. La. Etw —6C **26**
Ashleigh Dri. Chel —3H **31**
Ashley St. Der —4G **11**
Ashlyn Rd. Der —4E **13** (4G **3**)
Ashmeadow. Borr —2H **23**
Ashopton Av. Der —3B **20**
Ashover Rd. Alst —5D **6**
Ashover Rd. Alv —1G **13**
Ashton Clo. Mick —6A **10**
Ashtree Av. Der —5D **20**
Ash Tree Clo. Bread —3C **8**
Ash Tree Clo. Duf —1B **4**
Ashview Clo. Etw —1B **26**
Ashwater Clo. Sin —3B **30**
Ashworth Av. Chad —4H **13**
Ashworth Wlk. Chad —4H **13**
Askerfield Av. Alst —3C **6**
Aspen Dri. Spon —5B **14**
Asterdale View. Spon —5F **15**
Aston Clo. Chel —5A **32**
Aston La. Chel —4B **32**
Aston La. Shard —5A **34**
(in two parts)
Aston Rd. L'ver —6G **19**
Astorville Pk. Rd. Chel —3H **31**
Atchison Gdns. Chad —2B **14**
Atherfield Wlk. Alv —6C **22**
Athlone Clo. Der —1F **13**
Athol Clo. Sin —1A **30**
Attewell Clo. Dray —4F **25**
Attlebridge Clo. Der —1F **13**
Atworth Gro. L'ver —5D **18**
Auckland Clo. Mick —6D **10**
Audley Cen. Der —4C **12** (4D **2**)
Audrey Dri. Chad —1A **14**
Augusta St. Der —1D **20**
Aults Clo. Find —4A **28**
Austen Av. L'ver —3F **19**
Austin Sq. Der —4B **20**
Autumn Gro. Chad —4H **13**
Avenue Rd. Duf —1B **4**
Avenue, The. Chad —4H **13**
Avenue, The. Der —5C **12** (6D **2**)
Averham Clo. Der
Aviemore Way. Sin —1A **30**
(in two parts)
Avocet Ct. Sin —1H **29**
Avon Clo. Sin —3H **29**
Avondale Rd. Der —6C **12**
Avondale Rd. Spon —3D **14**
Avonmouth Dri. Alv —3G **21**
Avon St. Der —3G **21**
Aycliffe Gdns. Alv —6H **21**
Aylesbury Av. Chad —2H **13**
Ayr Clo. Spon —5D **14**

Babbacombe Clo. Alv —4C **22**
Babington La. Der —5C **12** (6C **2**)
(in two parts)
Back La. Cas D & Shard —6E **35**
Back La. Chel —4A **32**
Bk. Sitwell St. Der —5C **12** (5D **2**)
*Baconsfield Ho. Chad —5B **14**
(off Coleraine Clo.)
Badger Clo. Spon —3F **15**
Bagshaw St. Der —3G **21**
Bailey St. Der —6B **12**
Bainbrigge St. Der —6C **12**
Bains Dri. Borr —2B **24**
Bakeacre La. Find & Derb —3B **28**
Bakehouse La. Ock —4H **15**

Bakers La. Der —5C **12** (6C **2**)
Baker St. Der —2H **21**
Bakewell Clo. Mick —6C **10**
Bakewell St. Der —5B **12** (5A **2**)
Balaclava Rd. Der —3C **20**
Balfour Rd. Der —3C **20**
Balham Wlk. Der —3E **11**
Ballards Way. Borr —2B **24**
Ballater Clo. Sin —1A **30**
Balleny Clo. Oak —6D **8**
Ball La. Elv —6G **23**
Balmoral Clo. L'ver —1F **19**
Balmoral Rd. Der —2A **24**
Bamburgh Clo. Spon —5D **14**
Bamford Av. Der —3A **20**
Bancroft Dri. Alst —3C **6**
Bancroft, The. Etw —1B **26**
Bangor St. Der —1G **13**
Bank Ct. Der —1A **12**
Bankfield Dri. Spon —5F **15**
Bankholmes Clo. Sin —3A **30**
Bank Side. Dar A —5E **7**
Bank View Rd. Der —1B **12**
Bannels Av. L'ver —4F **19**
Banwell Clo. Mick —6A **10**
Barbor M. Cas D —6G **35**
Barchester Clo. Oak —5F **9**
Barden Dri. Alst —5F **7**
Bardsey Ct. Oak —4F **9**
Bare La. Ock —4A **16**
Barf Clo. Mick —2C **18**
Barley Clo. L Eat —6F **5**
Barleycorn Clo. Oak —5G **9**
Barley Croft. Chel —4H **31**
Barlow St. Der —6D **12**
Barnard Rd. Der —5B **8**
Barn Clo. Find —2B **28**
Barn Clo. Quar —1C **6**
Barn Croft. Der —2G **19**
Barnes Grn. Der —2F **11**
Barnstaple Clo. Oak —5E **9**
Barnwood Clo. Mick —1A **18**
Baron Clo. Oak —4H **9**
Barrett St. Alv —4A **22**
Barrie Dri. Sin —6B **20**
Barrons Way. Borr —2A **24**
Barton Clo. Spon —3F **15**
Basildon Clo. Alv —6H **21**
Baslow Dri. Alst —4F **7**
Bassingham Clo. Oak —6F **9**
Bass St. Der —3H **11**
Bateman St. Der —1E **21**
Bath Rd. Mick —1C **18**
Bath St. Der —2C **12** (1C **2**)
Baverstock Clo. Chel —2H **31**
Baxter Sq. Der —5B **20**
Bayleaf Cres. Oak —4F **9**
Bayswater Clo. Der —3D **10**
Beardmore Clo. Oak —5C **8**
Beatty St. Alv —3H **21**
Beaufort Gdns. Der —2F **13**
Beaufort Rd. Sin —3G **29**
Beaufort St. Der —1F **13**
Beaumaris Ct. Spon —4F **15**
Beaumont Wlk. Der —5A **20**
Beaurepar Av. Alst —4E **7**
Becher St. Der —2C **20**
Beckenham Way. Der —3F **11**
Becket St. Der —4B **12** (4B **2**)
Becketwell La. Der —4C **12** (4C **2**)
Beckitt Clo. Alv —3A **22**
Bedford Clo. Der —6H **11**
Bedford St. Der —5H **11**
Beech Av. Der —3B **22**
Beech Av. Borr —6A **16**
Beech Ct. Spon —4D **14**
Beechcroft. Bread —3A **8**
Beech Dri. Der —1B **12**
Beech Dri. Etw —1C **26**
Beech Dri. Find —4C **28**
Beeches Av. Spon —4D **14**

Beech Gdns. Alv —4B **22**
Beechley Dri. Oak —6F **9**
Beech Wlk. L'ver —2H **19**
Beechwood Cres. L'ver —2G **19**
Beeley Clo. Alst —5D **6**
Beeley Clo. Chad —5D **8**
Belfast Wlk. Der —5A **14**
Belfield Rd. Etw —2B **26**
Belfry Clo. Mick —2D **18**
Belgrave St. Der —6C **12**
Belle Vue Ter. Borr —2H **23**
Bellingham Ct. Alst —5C **6**
Belmont Dri. Borr —1H **23**
Belper Ho. Spon —6E **15**
Belper Rd. Der —1B **12**
Belsize Clo. Der —3D **10**
Belvedere Clo. Mick —5B **10**
Belvoir Clo. Breas —4H **25**
Belvoir St. Der —2B **20**
Bembridge Dri. Alv —6C **22**
Bemrose M. Der —5G **11**
Bemrose Rd. Altn —4G **21**
Bendall Grn. L'ver —6G **19**
Benmore Ct. Oak —4F **9**
Bennett St. Altn —6F **21**
Bensley Clo. Chel —4A **32**
Benson St. Alv —4H **21**
Bentley St. Altn —5G **21**
Beresford Dri. Spon —5E **15**
Berkeley Clo. L'ver —4H **19**
Berkshire St. Der —1F **13**
Bermuda Av. L Eat —1A **8**
Berry Pk. Clo. Alst —6E **7**
Berwick Av. Der —2E **13**
Berwick Clo. Alv —6B **22**
Berwick Clo. Sin —2H **29**
Besthorpe Clo. Oak —6F **9**
Bethulie Rd. Der —3C **20**
Betjemin Sq. Sin —6C **20**
Beverley Dri. Der —1F **21**
Bewdley Clo. Chel —2A **32**
Bexhill Wlk. Der —6C **8**
Bicester Av. Sin —3G **29**
Bickley Moss. Oak —6F **9**
Bideford Dri. Sun —5H **19**
Bingham St. Altn —5G **21**
Binscombe La. Oak —4C **8**
Birch Clo. Spon —3G **15**
Birches Rd. Alst —4D **6**
Birchfield Clo. Chel —3H **31**
Birchover Rise. Chad —6D **8**
Birchover Way. Alst —6D **6**
Birchwood Av. L'ver —5H **19**
Birdcage Wlk. Der —3C **10**
(in two parts)
Birdwood St. Der —2B **20**
Birkdale Clo. Mick —1E **19**
Biscay Ct. Oak —5G **9**
Bishop's Dri. Oak —5B **8**
Blaby Clo. Sun —5A **20**
Blackmore St. Der —4B **20**
Blackmount Ct. Sin —2H **29**
Blackthorn Clo. Oak —5C **8**
Blagreaves Av. L'ver —6G **19**
Blagreaves La. L'ver —4G **19**
Blakebrook Dri. Chel —2A **32**
Blakelow Dri. Etw —2B **26**
Blakeney Ct. Oak —6G **9**
Blandford Clo. Alv —5D **22**
Blankney Clo. Sin —3H **29**
Blencathra Dri. Mick —3C **18**
Blenheim Dri. Alst —4C **6**
Blenheim Pde. Alst —3D **6**
Blind La. Breas —3H **25**
Blithfield Gdns. Chel —3A **32**
Bloomfield Clo. Der —6D **12**
Bloomfield St. Der —6D **12**
Bluebell Clo. Sin —3G **29**
Bluebird St. Sin —1H **29**
Blue Mountains. Duf —5E **5**
Blyth Pl. Der —6B **8**

Boden St. Der —1D **20**
Bodmin Clo. Sin —2H **29**
Bodmin Grn. Alv —5B **22**
Bold La. Der —4C **12** (3C **2**)
Bonchurch Clo. Alv —6C **22**
Bonnyrigg Dri. Oak —5E **9**
Bonsall Av. Der —2H **19**
Bonsall Dri. Mick —6C **10**
Booth St. Alv —4H **21**
Border Cres. Alv —6A **22**
Borrowash Bri. Borr —3H **23**
Borrowash By-Pass. Spon & Borr
—5D **14**
Borrowash La. Elv —5G **23**
Borrowash Rd. Spon —6F **15**
Borrowfield Rd. Spon —6E **15**
Borrowfields. Borr —2H **23**
Boscastle Rd. Alv —5B **22**
Boston Clo. Chad —3C **14**
Boswell Sq. Der —4B **20**
Bosworth Av. Sun —5A **20**
Boulton Dri. Alv —5A **22**
Boulton La. Der —6G **21**
(in two parts)
Boundary Rd. Der —5A **12**
Boundary Rd. Etw —5C **26**
Bourne Clo. Alv —5D **22**
Bourne St. Der —5C **12** (6D **2**)
Bowbridge Av. L'ver —6G **19**
Bower St. Der —3H **21**
Bowland Clo. Mick —2C **18**
Bowlees Ct. L'ver —4C **18**
Bowmer Rd. Der —2G **21**
Boxmoor Clo. L'ver —4D **18**
Boyd Gro. Chel —5A **32**
Boyer St. Der —6A **12**
Boyer Wlk. Der —6B **12**
Boylestone Rd. L'ver —6G **19**
Brackens Av. Alv —5H **21**
Brackensdale Av. Der —4F **11**
Bracken's La. Alv —5G **21**
Brackley Dri. Spon —4E **15**
Bracknell Dri. Alv —6H **21**
Bradbourne Ct. Der —6A **12**
Bradbury Clo. Borr —2A **24**
Bradgate Ct. Der —5A **20**
Brading Clo. Alv —6D **22**
Bradley St. Der —1A **12**
Bradmoor Gro. Chel —3B **32**
Bradshaw Retail Pk. Der
—5C **12** (6D **2**)
Bradshaw Way. Der
—5D **12** (6E **3**)
Bradwell Clo. Mick —2C **18**
Braemar Clo. Der —2H **29**
Brailsford Rd. Chad —1G **13**
Braintree Clo. Der —5B **8**
Braithwell Clo. Alst —5F **7**
Brambleberry Ct. Oak —4F **9**
Bramble M. Mick —2B **18**
Bramble St. Der —4B **12** (4B **2**)
Bramfield Av. Der —6A **12**
Bramfield Ct. Der —6A **12**
Bramley Clo. Oak —4G **9**
Brampton Clo. Mick —6A **10**
Brandelhow Ct. Oak —4F **9**
Branksome Av. Alv —4C **22**
Brassington Rd. Chad —6D **8**
Brayfield Av. L'ver —3H **19**
Brayfield Rd. L'ver —3G **19**
Breaston La. Ris —4H **17**
Brecon Clo. Spon —3E **15**
Breedon Av. L'ver —6H **19**
Breedon Hill Rd. Der —6A **12**
Brentford Dri. Der —3F **11**
Bretby Sq. L'ver —6G **19**
Bretton Av. L'ver —1G **19**
Breydon Clo. Sh L —1F **31**
Briar Clo. Der —1A **24**
Briar Clo. Chad —5B **14**
Briar Lea Clo. Sin —1B **30**

Briarsgate. Alst —5D **6**
Briars La. Der —4E **19**
(in two parts)
Briarwood Way. L'ver —5G **19**
Brick Row. Dar A —6G **7**
Brick St. Der —3A **12**
Bridge Ga. Der —3C **12** (1C **2**)
Bridgend Ct. Oak —4G **9**
Bridgeness Rd. L'ver —5D **18**
Bridgeport Rd. Chad —3C **14**
Bridge St. Der —3B **12** (2A **2**)
(in two parts)
Bridgwater Clo. Alv —4C **22**
Bridle Clo. Chel —5A **32**
Brierfield Way. Mick —2C **18**
Brigden Av. Altn —4G **21**
Brighstone Clo. Alv —6C **22**
Brighton Rd. Alv —2H **21**
Bright St. Der —4G **11**
Brigmor Wlk. Der —4H **11**
Brindley Clo. Sin —3A **30**
Brindley Ct. Altn —5G **21**
Brisbane Rd. Mick —5C **10**
Briset Clo. Sin —3A **30**
Bristol Dri. Mick —1C **18**
Britannia Ct. Der —3C **12** (1D **2**)
Broad Bank. Der —1A **12**
Broadfields Clo. Der —1B **12**
Broad La. Thul —1F **33**
Broadleaf Clo. Oak —5C **8**
Broadway. Der —1H **11**
Broadway. Duf —3A **4**
Broadway Pk. Clo. Der —1A **12**
Brockley. Spon —4E **15**
Bromley St. Der —2A **12**
Brompton Rd. Der —3D **10**
(in two parts)
Bromyard Dri. Chel —2A **32**
Bronte Pl. L'ver —3F **19**
Brook Clo. Find —4B **28**
Brook Clo. Quar —3C **6**
Brookfield Av. Chad —1B **14**
Brookfield Av. Sun —5H **19**
Brookfields Dri. Bread —3B **8**
Brook Gdns. Der —3A **12**
Brookhouse St. Altn —6F **21**
Brooklands Dri. L'ver —3G **19**
Brook Rd. Borr —2A **24**
Brook Rd. Thul —1F **33**
Brookside Clo. Der —2A **12**
Brookside Rd. Bread —3B **8**
Brook St. Der —3B **12** (1A **2**)
Brook Wlk. Der —3B **12** (2A **2**)
Broom Clo. Chel —3H **31**
Broom Clo. Duf —3A **4**
Broom Clo. Sin —3A **29**
Broomhill Clo. Mick —6B **10**
Brough St. Der —4H **11**
Broughton Av. Der —2H **19**
Browning Circ. Der —4B **20**
Browning St. Der —5B **20**
Brun La. Mack —1A **10**
Brunswick St. Der —2B **20**
Brunswood Clo. Spon —4E **15**
Brunton Clo. Mick —2A **18**
Bryony Clo. Oak —5E **9**
Buchanan St. Der —3C **12** (1C **2**)
Buchan St. Der —4F **21**
Buckford La. Find —5C **28**
Buckingham Av. Der —1F **13**
Buckland Clo. Der —3A **12**
Buckminster Clo. Oak —5D **8**
Buller St. Der —1A **20**
Bunting Clo. Mick —6E **11**
Burbage Pl. Alv —4H **21**
Burdock Clo. Oak —5C **8**
Burghley Clo. Chel —3H **31**
Burleigh Dri. Der —1B **12**
Burley Hill. Alst —1G **7**
Burley La. Quar —1D **6**
Burlington Clo. Breas —3H **25**

Burlington Rd. Der —3D **10**
Burlington Way. Mick —2B **18**
Burnaby St. Der —3H **21**
Burnage Ct. Der —5B **12** (6A **2**)
Burnaston La. Etw —1G **27**
Burnham Dri. Mick —1A **18**
Burns Clo. L'ver —3F **19**
Burnside Clo. Sin —2H **29**
Burnside Dri. Spon —5F **15**
Burnside St. Der —3A **22**
Burrowfield M. Der —1F **23**
Burrows Wlk. Der
—5C **12** (5D **2**)
Burton Rd. Der —2F **19** (6C **2**)
Burton Rd. Etw —6E **27**
Burton Rd. Find —4H **27**
Bute Wlk. Der —2E **13**
Buttermere Dri. Alst —4E **7**
Buttonoak Dri. Chel —2A **32**
Buxton Dri. L Eat —4G **5**
Buxton Dri. Mick —6C **10**
*Buxton Ho. Spon —5E **15***
(off Arnhem Ter.)
Buxton Rd. Chad —6D **8**
Byfield Clo. Oak —5F **9**
Byng Av. Der —4B **20**
Byron St. Der —1B **20**

Cadgwith Dri. Der —4E **7**
Cadwell Clo. Alv —5D **22**
Caerhays Ct. Sin —2H **29**
Caernarvon Clo. Spon —4F **15**
Caesar St. Der —2D **12**
Cairngorm Dri. Sin —2H **29**
Cairns Clo. Mick —6C **10**
Calder Clo. Alst —4E **7**
Caldermill Dri. Oak —5E **9**
California Gdns. Der —5G **11**
Callow Hill Way. L'ver —4D **18**
Calver Clo. Oak —4C **8**
Calverton Clo. Sh L —2G **31**
Calvert St. Der —5E **13** (6G **3**)
Calvin Clo. Alv —6A **22**
Camberwell Av. Der —3E **11**
Cambourne Clo. Der —6C **8**
Cambridge St. Der —1C **20**
Cambridge St. Spon —5E **15**
Camden St. Der —5H **11**
Camellia Clo. Mick —6B **10**
Cameron Rd. Der —3B **20**
Campbell St. Der —4F **21**
Campion St. Der —4H **11**
Campsie Ct. Sin —2H **29**
Camp St. Der —2C **12**
(in two parts)
Camp Wood Clo. L Eat —1A **8**
Canal Side. Chel —2G **31**
Canal St. Der —5D **12** (6F **3**)
Canberra Clo. Mick —1C **18**
Canon's Wlk. Dar A —5F **7**
Canterbury Clo. Duf —3A **4**
Canterbury St. Chad —6C **8**
Cantley Clo. Sh L —2F **31**
Cardales Clo. Find —3B **28**
Cardean Clo. Der —2D **12**
Cardigan St. Der —2E **13**
Cardrona Clo. Oak —5D **8**
Carisbrooke Gdns. L'ver —5G **19**
Carlisle Av. L'ver —3F **19**
Carlton Av. Sh L —1G **31**
Carlton Dri. Sh L —2G **31**
Carlton Gdns. Sh L —1G **31**
Carlton Rd. Der —2H **19**
Carlyle St. Sin —6B **20**
Carnegie St. Der —3C **20**
Carnforth Clo. Mick —2C **18**
Carnoustie Clo. Mick —1D **18**
Carol Cres. Chad —4B **10**
Caroline Clo. Alv —4D **22**
Carriers Rd. Etw —6C **26**

Carrington St. Der —5D **12** (6F **3**)
(in two parts)
Carron Clo. Sin —1A **30**
Carsington Cres. Alst —5D **6**
Carsington Ho. Alst —5D **6**
Carsington M. Alst —6E **7**
Carson Rd. Chad —3B **14**
Carter St. Altn —5F **21**
Cascade Gro. L'ver —4E **19**
Casson Av. Alv —5A **22**
Castings Rd. Der —3D **20**
Castle Ct. Elv —5G **23**
Castlecraig Ct. Sin —3A **30**
Castle Croft. Alv —6D **22**
Castlefields Main Cen. Der
—5D **12** (5E **3**)
Castle Hill. Duf —2B **4**
Castle Hill. Find —4B **28**
Castle Ho. Flats. Der
—5E **13** (5G **3**)
Castle Orchard. Duf —2B **4**
Castleshaw Dri. L'ver —4C **18**
Castle St. Der —5D **12** (5E **3**)
Castleton Av. Der —3B **20**
Castle Wlk. Der —5D **12** (5E **3**)
Cathedral Rd. Der —3B **12** (2B **2**)
Cathedral View. Der —1H **19**
Catherine McAuley Houses. Der
—1B **12**
Catherine St. Der —1D **20**
Catterick Dri. Mick —2A **18**
Causeway. Dar A —5E **7**
Causey Bri. Der —3C **12** (2D **2**)
Cavan Dri. Chad —5B **14**
Cavendish Av. Alst —4F **7**
Cavendish Clo. Duf —4A **4**
Cavendish Clo. Shard —3F **35**
Cavendish Ct. Der —3B **12** (2B **2**)
Cavendish St. Der —4B **12** (3B **2**)
Cavendish Way. Mick —1C **18**
Caversfield Clo. L'ver —3E **19**
Caxton St. Der —4A **20**
Cecil St. Der —4H **11**
Cedar Dri. Ock —5A **16**
Cedar St. Der —2A **12**
Cedarwood Ct. Oak —5C **8**
Celandine Clo. Oak —5D **8**
Celanese Rd. Der —6C **14**
Central Av. Borr —2H **23**
Centre Ct. Der —6D **12**
Centurion Wlk. Der —1C **12**
Chaddesden Av. Der —3A **14**
Chaddesden La. Der —3H **13**
Chaddesden La. End. Der —4H **13**
Chaddesden Pk. Rd. Der —3G **13**
Chadfield Rd. Duf —1B **4**
Chadwick Av. Altn —6G **21**
Chaffinch Clo. Spon —3F **15**
Chain La. Mick & L'ver —1E **19**
(in two parts)
Chalfont Sq. Oak —5F **9**
Chalkley Clo. Alv —4H **21**
Challis Av. Chad —2B **14**
Chambers St. Der —3G **21**
Champion Hill. Duf —2B **4**
Chancery La. Der —3E **11**
Chandlers Ford. Oak —6D **8**
Chandos Pole St. Der —3H **11**
Chandres Ct. Alst —3E **7**
Chantry Clo. Mick —2A **18**
Chapel La. Chad —2A **14**
Chapel La. Chel —4A **32**
Chapel La. Der —5D **12** (6F **3**)
Chapel La. Spon —3B **15**
Chapel Row. Borr —1H **23**
Chapel Row. L'ver —2G **19**
Chapel Side. Spon —4E **15**
Chapel St. Der —3C **12** (2C **2**)
Chapel St. Duf —3C **4**
Chapel St. Spon —4D **14**
Chapman Av. Alv —5B **22**

Chapter Clo. Oak —5B **8**
Charing Ct. Der —2D **12**
Charingworth Rd. Oak —5F **9**
Chariot Clo. Alv —6D **22**
Charlbury Clo. L'ver —3E **19**
Charles Av. Spon —3D **14**
Charleston Rd. Chad —3C **14**
Charlestown Dri. Alst —3D **6**
Charlotte St. Der —1C **20**
Charnwood Av. Borr —1A **24**
Charnwood Av. L'ver —6H **19**
Charnwood St. Der
—6C **12** (6D **2**'
Charterhouse Clo. Oak —4C **8**
Charterstone La. Alst —3E **7**
Chartwell Dri. Der —4E **13** (3H **3**)
Chase, The. L Eat —4G **5**
Chase, The. Sin —1B **30**
Chatham St. Der —3C **20**
Chatsworth Ct. Sin —1B **30**
Chatsworth Cres. Alst —4F **7**
Chatsworth Dri. L Eat —4G **5**
Chatsworth Dri. Mick —6C **10**
Chatsworth St. Der —2A **20**
Chatteris Dri. Der —6B **8**
Cheadle Clo. L'ver —2F **19**
Cheam Clo. Der —3C **10**
Cheapside. Der —4C **12** (3C **2**)
Chedworth Dri. Alv —5D **22**
Chellaston La. Chel & Ast T
—4C **32**
Chellaston Pk. Ct. Chel —4H **31**
Chellaston Rd. Der —6G **21**
Chelmarsh Clo. Chel —2A **32**
Chelmorton Pl. Chad —1H **13**
Chelmsford Clo. Mick —6A **10**
Chelsea Clo. Der —3D **10**
Chelwood Rd. Chel —3H **31**
Chequers La. Der —3F **13**
Chequers Rd. Der —4E **13** (3H **3**'
Cheriton Gdns. L'ver —4C **18**
Cherrybrook Dri. Oak —4F **9**
Cherry Tree M. Der —5B **14**
Chertsey Rd. Mick —1A **18**
Chesapeake Rd. Chad —3B **14**
Cheshire St. Altn —6G **21**
Chester Av. Alst —2H **7**
Chester Ct. Spon —6E **15**
*Chesterfield Ho. Spon —5E **15***
(off Arnhem Ter.)
Chesterford Ct. L'ver —5D **18**
Chester Grn. Rd. Der —2C **12**
(in two parts)
Chesterton Av. Sun —4A **20**
Chesterton Rd. Spon —3B **15**
Chestnut Av. Chel —2H **31**
Chestnut Av. Der —1C **20**
Chestnut Av. Mick —6B **10**
Chestnut Clo. Duf —4B **4**
Chestnut Dri. Etw —1B **26**
Chestnut Gro. Borr —6A **16**
Cheveley Ct. Oak —1F **9**
Cheverton Clo. Alv —6D **22**
Chevin Av. Borr —1A **24**
Chevin Av. Mick —1D **18**
Chevin Bank. Duf —1A **4**
Chevin Pl. Der —2B **12**
Chevin Rd. Der —2B **12**
Chevin Rd. Duf —1B **4**
Chevin Vale. Duf —1B **4**
Cheviot St. Der —4G **11**
Cheyenne Gdns. Chad —4B **14**
Cheyne Wlk. Der —3G **11**
Chilson Dri. Mick —6A **10**
Chime Clo. Oak —5C **8**
Chingford Ct. Der —3F **11**
Chinley Rd. Chad —6E **9**
Chiswick Clo. Der —3D **10**
Christchurch Ct. Der
—3C **12** (2C **2**)
Church Clo. Chel —4A **32**

urchdown Clo. Oak —5F **9**
urch Hill. Etw —1B **26**
urch Hill. Spon —4D **14**
urchill Clo. Breas —3H **25**
urchill Ct. Bread —3B **8**
urch La. Bread —3C **8**
urch La. Chad —3A **14**
urch La. Dar A —5G **7**
urch La. L Eat —6F **5**
urch La. Mack —1D **10**
urch La. Morl —1G **9**
urch La. N. Dar A —4F **7**
urch M. Spon —5D **14**
urch Rd. Quar —3C **6**
urchside Wlk. Der —5A **12**
urch St. Alv —4C **22**
urch St. Der —1C **20**
urch St. Hors —1H **5**
urch St. L'ver —2G **19**
urch St. Ock —5A **16**
urch St. Spon —5D **14**
urch Wlk. Alst —3F **7**
urch Wlk. Der —6B **12**
urch Wlk. Duf —4C **4**
cle, The. Sin —1A **30**
y Rd. Der —2C **12** (1D **2**)
y Rd. Ind. Pk. Der —2C **12**
rence Rd. Der —2A **20**
rkes La. Ast T —5H **33**
rke St. Der —3D **12** (1F **3**)
veland Av. Chad —4B **14**
veland Av. Dray —4E **25**
fford St. Der —1F **21**
ton Dri. Mick —6C **10**
ton Rd. Alst —4D **6**
ton St. Der —6E **13**
nton St. Der —3F **13**
ostone Gdns. Oak —5F **9**
ck Way. Spon —6F **15**
ck Yd. Der —4A **12**
se, The. Dar A —5F **7**
se, The. Der —4A **12**
udwood Clo. L'ver —2F **19**
ver Clo. Spon —4F **15**
ver Ct. Shard —3C **34**
verdale Dri. Sin —3B **30**
ver Slade. Find —4A **28**
oden St. Der —4H **11**
n three parts)
bham Gdns. Der —2H **29**
othorne Dri. Alst —3C **6**
ourn Pl. Der —4B **12** (4B **2**)
ckayne St. N. Altn —5G **21**
ckayne St. S. Altn —5G **21**
ck Pitt, The. Der —4D **12** (4E **3**)
d Beck Clo. Alv —5D **22**
ke St. Der —4H **11**
ostream Wlk. Sin —1A **30**
e La. Ock —5A **16**
eman St. Altn —4G **21**
eraine Clo. Chad —5B **14**
eridge St. Der —6A **20**
n two parts)
iseum Cen. Der
　　　　　—5D **12** (5E **3**)
lege M. Der —4A **12**
lege Pl. Der —3C **12** (2C **2**)
lier La. Ock —5A **16**
lingham Gdns. Der —4E **11**
lis Clo. Altn —4G **21**
lumbell Av. Ock —4A **16**
ombo Clo. Der —2D **20**
tsfoot Dri. Sin —3B **30**
umbine Clo. Oak —6E **9**
well Dri. Bo M —6D **22**
wyn Av. Der —2H **19**
year St. Der —4C **12** (4C **2**)
mfrey Clo. L'ver —5D **18**
mmerce St. Der —3H **21**
mmon Piece La. Find —4C **28**

Common, The. Quar
　　　　　—6A **4** & 1C **6**
Compton Av. Ast T —5G **33**
Compton Clo. Alv —5C **22**
Coniston Av. Spon —3E **15**
Coniston Cres. Der —5B **8**
Connaught Rd. Der —5G **11**
Consett Clo. Der —6B **8**
Consort Gdns. Oak —4G **9**
Constable Av. Mick —6G **11**
Constable Dri. L'ver —1F **19**
Constable La. L'ver —1G **19**
Conway Av. Borr —1B **24**
Cookham Clo. Mick —1A **18**
Co-operative St. Der —1B **20**
Coopers Clo. Borr —2B **24**
Cooper St. Der —3G **11**
Copecastle Sq. Der
　　　　　—5D **12** (5E **3**)
Cope Clo. Sin —6C **20**
Copeland St. Der —5D **12** (5F **3**)
Copeland Wlk. Der —5D **12** (5E **3**)
Copes Way. Chad —1A **14**
Coppice Clo. Dar A —6F **7**
Corbel Clo. Oak —5B **8**
Corbridge Gro. L'ver —4E **19**
Corby Clo. Alv —6H **21**
Corden Av. Mick —1E **19**
Corden St. Der —1C **20**
Cordville Clo. Chad —4B **14**
Corfe Clo. L'ver —5H **19**
Coriander Gdns. Der —1H **29**
Corinium Clo. Alv —6D **22**
Cornflower Dri. Oak —4E **9**
Cornhill. Alst —3E **7**
Corn Mkt. Der —4C **12** (3D **2**)
Cornwall Rd. Der —2F **13**
Coronation Av. Alv —6C **22**
Coronation St. Der —3D **20**
Coronet Ct. Oak —4H **9**
Corporation St. Der
　　　　　—4C **12** (3D **2**)
Cotswold Clo. L'ver —3G **19**
Cottisford Clo. L'ver —3E **19**
Cotton Brook Rd. Der —3D **20**
Cotton La. Der —3D **20**
Countisbury Dri. Oak —5E **9**
Courtland Dri. Alv —5B **22**
Courtland Gdns. Alv —4B **22**
Courtland Rd. Etw —2C **26**
Court, The. Alv —5B **22**
Coverdale Wlk. Alv —5C **22**
Covert, The. Spon —5E **15**
Cowdray Clo. Sin —3H **29**
Cowley St. Der —2A **12**
Cowlishaw Clo. Shard —4C **34**
Cowper St. Sin —6C **20**
Cowsley Rd. Der —1F **13**
Coxbench Rd. Der —2H **5**
(in two parts)
Cox Grn. Ct. Der —4D **18**
Coxon St. Der —4E **15**
Crabtree Clo. Alst —3C **6**
Crabtree Hill. Der —3C **6**
Crabtree Hill. L Eat —6F **5**
Craddock Av. Spon —6E **15**
Craiglee Ct. Sin —2H **29**
Cranberry Gro. L'ver —5D **18**
Cranmer Rd. Der —4E **13** (3G **3**)
Cranwood Clo. Altn —6F **21**
Crawley Rd. Alv —6H **21**
Crayford Rd. Alv —6A **22**
Crecy Clo. Der —6G **11**
Crescent, The. Alv —5G **21**
Crescent, The. Breas —4G **25**
Crescent, The. Chad —4H **13**
Crescent, The. Ris —6H **17**
Cressbrook Way. Oak —4F **9**
Crest, The. Dar A —5E **7**
Crewe St. Der —2B **20**

Crewton Way. Alv —4H **21**
Crich Av. L'ver —1F **19**
Crich Circ. L'ver —1G **19**
Cricketers Ct. L'ver —3H **19**
Cricklewood Rd. Der —3F **11**
Cringle M. Oak —5C **8**
Croft Clo. Ock —5A **16**
Croft Clo. Spon —3F **15**
Croft End. L Eat —6F **5**
Crofters Ct. Oak —5C **8**
Croft La. Bread —4A **8**
Croft, The. Dray —5E **25**
Croft, The. L'ver —3H **19**
Cromarty Clo. Sin —1A **30**
Cromer Clo. Mick —2A **18**
Cromford Dri. Mick —5C **10**
Cromford Rd. Chad —1A **14**
Crompton St. Der —5B **12** (5B **2**)
Cromwell Av. Find —3B **28**
Cromwell Rd. Der —1B **20**
Cropton Clo. Alv —5C **22**
Crosby St. Der —5H **11**
Cross Clo. L'ver —3G **19**
Cross Clo. Wlk. Der —3G **19**
Crossdale Gro. Oak —4G **9**
Cross St. Der —3H **11**
Crownland Dri. Chel —3A **32**
Crown M. Der —6A **12**
Crown St. Der —6A **12**
Crown St. Duf —2B **4**
Crown Wlk. Der —5C **12** (5D **2**)
Crowshaw St. Der —3D **20**
Croydon Wlk. Der —3D **10**
Cubley Wlk. Der —6G **19**
Cuckmere Clo. Alst —2H **7**
Cullen Way. Sin —3A **30**
Culworth Ct. Oak —5F **9**
Cumberhills Rd. Duf —4A **4**
Cumberland Av. Der —3G **13**
Cumberland Cres. Borr —2H **23**
Cumbria Wlk. Mick —2A **18**
Cummings St. Der —1C **20**
Curborough Dri. Alv —5D **22**
Curlew Clo. Sin —1H **29**
Curzon Clo. Alst —3C **6**
Curzon Ct. Duf —3B **4**
Curzon Ct. Mick —2B **18**
Curzon La. Alv —3A **22**
Curzon La. Duf —3A **4**
Curzon Rd. Chad —2H **13**
Curzon St. Der —4B **12** (4A **2**)
(in two parts)
Cut La. Der —2D **12**
Cuttlebrook Clo. Der —4A **20**
Cypress Wlk. Chad —4B **14**

Dahlia Dri. Oak —4G **9**
Dairy Ho. Rd. Der —2C **20**
Dalbury Wlk. L'ver —6G **19**
Dale Rd. Alv —4C **22**
Dale Rd. Der —1B **20**
Dale Rd. Spon & Ock —4F **15**
Dale Rd. Stan D —1H **17**
Dalkeith Av. Alv —6H **21**
Dalness St. Sin —2H **29**
Dalton Av. Der —6G **11**
Danebridge Cres. Oak —6E **9**
Darby St. Der —1B **20**
Darley Abbey Dri. Dar A —5F **7**
Darley Abbey Mills. Dar A —5G **7**
Darley Gro. Dar A —6F **7**
Darley Gro. Der —1C **12**
Darley La. Der —3C **12** (1C **2**)
Darley Pk. Dri. Der —6F **7**
Darley Pk. Rd. Der —6F **7**
Darley St. Dar A —6G **7**
Dartford Pl. Alv —4A **22**
Darwin Av. Altn —1F **31**
Darwin Pl. Der —4D **12** (3E **3**)
Darwin Rd. Mick —6C **10**

Darwin Sq. Der —5C **12** (5D **2**)
Dashwood St. Der —6C **12**
Datchet Clo. L'ver —3E **19**
Davenport Rd. Der —3E **21**
Daventry Clo. Mick —6A **10**
David's Clo. Chel —4H **31**
Dawlish Ct. Alv —4C **22**
Dawsmere Clo. Der —6B **8**
Daylesford Clo. L'ver —3E **19**
Dayton Clo. Chad —4C **14**
Dayton Ct. Der —1A **12**
Deacon Clo. Oak —5C **8**
Deadman's La. Der —1F **21**
Dean Clo. L'ver —1E **19**
Deans Dri. Borr —1H **23**
Dean St. Der —6A **12**
Deborah Dri. Chad —2A **14**
Dee Clo. Sin —2A **30**
Deep Dale La. Sin & Bar T —3A **30**
Deepdale Rd. Spon —6F **15**
Deer Pk. View. Spon —3F **15**
Degge St. Der —5C **12** (5C **2**)
Deincourt Clo. Spon —3G **15**
Delamere Clo. Breas —3H **25**
Delamere Clo. Oak —6E **9**
Denarth Av. Sh L —2G **31**
Denbigh St. Der —2G **13**
Denison Gdns. Chad —3B **14**
Dennis Clo. L'ver —4C **18**
Denstone Dri. Alv —1A **32**
Dentdale Clo. Alv —4C **22**
Denver Rd. Mick —6B **10**
Depedale Av. Borr —6A **16**
Depot St. Der —1C **12**
Derby Canal Walkway. Altn
　　　　　—3G **31**
Derby La. Der —3B **20**
Derby Rd. Ast T —2G **33**
Derby Rd. Borr —2B **24**
Derby Rd. Chel —2H **31**
Derby Rd. Der & Stan —4H **9**
Derby Rd. Duf —1B **4**
Derby Rd. Duf —4C **4**
(Flaxholme)
Derby Rd. Holb & L Eat —1G **5**
Derby Rd. Ris & Sand —5H **17**
Derby Rd. Spon —4B **14**
Derbyshire Bus. Development
Cen. Der —3F **13**
Derby Small Bus. Cen. Der —6C **3**
Derby Trading Est. Der —1D **12**
Derrington Leys. Alv —5D **22**
Derventio Clo. Der —2C **12**
Derwent Av. Alst —3G **7**
Derwent Av. Borr —6A **16**
Derwent Bus. Cen., The. Der
　　　　　—3D **12** (1E **3**)
Derwent Clo. Alst —3G **7**
Derwent Ct. Der —4B **12** (4B **2**)
Derwent Dri. Sin —3H **29**
Derwent Ho. Der —3E **13** (2H **3**)
Derwent Rise. Spon —5F **15**
Derwent Rd. Spon —6D **14**
Derwent St. Der —4C **12** (3D **2**)
Derwent St. Dray —4E **25**
Devas Gdns. Spon —4D **14**
Devon Clo. Der —3F **13**
Devonshire Av. Alst —4F **7**
Devonshire Av. Borr —1A **24**
Devonshire Dri. Duf —3A **4**
Devonshire Dri. Mick —6C **10**
Devonshire Wlk. Der
　　　　　—5C **12** (5D **2**)
Dexter St. Der —1E **21**
Diamond Dri. Oak —5D **8**
Dickens Sq. Der —4B **20**
Dickinson St. Der —1F **21**
Diseworth Clo. Chel —3H **31**
Dodburn St. Sin —1H **29**
Doles La. Find —2B **28**
Dolphin Clo. Spon —3F **15**

Donald Hawley Way. Duf —3C **4**
Donegal Wlk. Chad —5A **14**
Donington Clo. Sun —6H **19**
Donington Dri. Sun —6A **20**
Dorchester Av. Chad —2G **13**
Dorking Rd. Der —3F **11**
Dorrien Av. Der —4C **20**
Dorset St. Der —3F **13**
Douglas St. Der —1D **20**
Dove Clo. Mick —6E **11**
Dovecote Dri. Borr —1G **23**
Dovedale Av. Alv —4C **22**
Dovedale Rise. Alst —6D **6**
Dovedale Rd. Spon —6F **15**
Dovedales, The. Mick —2B **18**
Dover Ct. Der —1C **20**
  (in two parts)
Doveridge Wlk. L'ver —6G **19**
Dover St. Der —1C **20**
Dower Clo. Dar A —6G **7**
Downham Clo. Mick —2C **18**
Downing Clo. Der —3D **10**
Downing Rd. Der —4F **13**
Drage St. Der —2D **12**
Draycott Dri. Mick —6A **10**
Draycott Rd. Borr —2A **24**
Draycott Rd. Dray —4G **25**
Drayton Av. Der —3D **10**
Dresden Clo. Mick —1A **18**
Drewry Ct. Der —5A **12**
Drewry La. Der —5A **12** (5A **2**)
  (in three parts)
Dreyfus Clo. Spon —4F **15**
Drill Hall Cotts. Der —3G **11**
Drury Av. Spon —5D **14**
Dryden St. Der —5B **20**
Drysdale Rd. Mick —6B **10**
Duck Island. Duf —3B **4**
Duckworth Sq. Der —4C **12** (4C **2**)
Duesbury Clo. Altn —4G **21**
Duffield Bank. Duf —3D **4**
Duffield Ct. Duf —2C **4**
Duffield Rd. Der —1G **7**
Duffield Rd. L Eat —6E **5** & 1A **8**
Duffield Rd. Ind. Est. L Eat —1A **8**
Dukeries La. Oak —5F **9**
Duke St. Der —3C **12** (1D **2**)
Duluth Av. Chad —2A **14**
Dulverton Av. Sin —3G **29**
Dulwich Rd. Der —3C **10**
Dunbar Clo. Sin —3A **30**
Duncan Rd. Der —3B **20**
Dunedin Clo. Mick —6C **10**
Dunkery Ct. Oak —5E **9**
Dunkirk. Der —5B **12** (5B **2**)
Dunoon Clo. Sin —2A **30**
Dunsmore Dri. Oak —5C **8**
Dunstall Pk. Rd. Der —3F **21**
Dunton Clo. Der —4E **13** (3G **3**)
Dunvegan Clo. Sin —3H **29**
Durham Av. Der —3G **13**
Durley Clo. Alv —4C **22**
Durward Clo. Altn —4E **21**

Eagle Cen. Der —4C **12** (4D **2**)
Ealing Clo. Der —3F **11**
Eardley Clo. Chad —4B **14**
Earls Cres. Oak —5F **9**
Earlswood Clo. Breas —3H **25**
East Av. Mick —6B **10**
Eastbrae Rd. Sun —4H **19**
East Clo. Dar A —5E **7**
E. Croft Av. L'ver —6H **19**
Eastgate. Der —3D **12** (2F **3**)
  (in two parts)
East Lawn. Find —3B **28**
Eastleigh Dri. Mick —1C **18**
East St. Der —4C **12** (4D **2**)
Eastwood Av. L'ver —1G **19**
Eastwood Dri. L'ver —1G **19**

Eaton Av. Alst —2G **7**
Eaton Bank. Duf —4D **4**
Eaton Clo. Alst —2G **7**
Eaton Ct. Der —3A **12**
Eaton Ct. Duf —4B **4**
Ecclesbourne Av. Duf —3C **4**
Ecclesbourne Clo. Duf —3B **4**
Edale Av. Alv —4B **22**
Edale Av. Der —1A **20**
Edale Av. Mick —1B **18**
Edale Clo. Alst —6D **6**
Edale Dri. Spon —6F **15**
Eden Rd. Chad —5B **14**
Edensor Sq. Der —5A **12** (6A **2**)
Eden St. Alv —3A **22**
Edgbaston Ct. L'ver —3G **19**
Edge Hill. Chel —2H **31**
Edgelaw Ct. Sin —2H **29**
Edgware Rd. Der —3D **10**
Edinburgh Cres. Altn —1F **31**
Edith Wood Clo. Alv —6B **22**
Edmund Rd. Spon —6F **15**
Edmunds Sq. Mick —4A **18**
Ednaston Av. L'ver —6H **19**
Edward Av. Chad —4A **14**
Edward St. Der —3C **12** (1B **2**)
Edwinstowe Rd. Oak —6E **9**
Eggesford Rd. Sin —3H **29**
Egginton Rd. Etw —1B **26**
Egginton Rd. Hil —4A **26**
Egmanton Clo. Oak —6F **9**
Eland Clo. Spon —3G **15**
Eldon Ho. Der —5C **12** (6C **2**)
Eley Wlk. Der —5B **12** (6B **2**)
Elgin Av. L'ver —3E **19**
Eliot Rd. L'ver —3F **19**
Elizabeth Clo. Chad —4B **14**
Elkstone Clo. Oak —5F **9**
Ellastone Gdns. Alv —4B **22**
Ellendale Rd. Chad —2B **14**
Ellesmere Av. Der —1F **21**
Elm Gro. Alst —2D **6**
Elm Gro. Chad —4B **14**
Elm Pk. Ct. Der —2B **12**
Elms Av. L'ver —1F **19**
Elms Dri. L'ver —2F **19**
Elms Garden. L'ver —2F **19**
Elms Gro. Etw —2C **26**
Elms St. Der —2B **12**
Elm St. Borr —1H **23**
Elmtree Av. Der —5D **20**
Elmwood Dri. Bread —5A **8**
Elton Rd. Der —4D **20**
Elvaston La. Alv —4B **22**
Elvaston St. Dray —4F **25**
Embankment Clo. Der —2D **10**
Emerald Clo. Oak —5D **8**
Emerson Sq. Der —5B **20**
Empress Rd. Der —6B **12**
Endsleigh Gdns. Der —3D **10**
Enfield Rd. Der —3F **11**
Ennerdale Wlk. Der —5B **8**
Ennis Clo. Chad —2C **14**
Enoch Stone Dri. Chad —5B **14**
Epping Clo. Der —3C **10**
Epworth Dri. Alv —1A **32**
Eskdale Wlk. Alv —5D **22**
  (off Whernside Clo.)
Essex St. Der —3F **13**
Eton St. Der —2G **21**
Etruria Gdns. Der —2C **12**
Ettas Way. Etw —1B **26**
Ettrick Dri. Sin —3A **30**
Etwall Rd. Egg —6B **26**
Etwall Rd. Etw —5G **27**
Etwall Rd. Mick —3A **18**
Etwall St. Der —4H **11**
Euston Dri. Der —2D **12**
Evans Av. Alst —2G **7**
Evans St. Altn —5G **21**
Evanston Gdns. Chad —3B **14**

Evelyn Gro. Chad —4A **14**
Evergreen Clo. Oak —5E **9**
Evesham Clo. Der —6C **8**
Excelsior Av. Alv —5H **21**
Exchange St. Der —4C **12** (4D **2**)
Exeter Ho. Der —4D **12** (3E **3**)
Exeter Pl. Der —4D **12** (3E **3**)
Exeter St. Der —3D **12** (2E **3**)
Eyrie, The. Sin —3A **30**

Fairbourne Dri. Mick —5B **10**
Fairdene Ct. Der —1B **20**
Faires Clo. Borr —2B **24**
Faire St. Der —6A **12**
Fairfax Rd. Der —1B **20**
Fairfield Av. Borr —6A **16**
Fairfield Rd. Der —1A **20**
Fairisle Clo. Oak —4G **9**
Fairlawns. Duf —3A **4**
Fairview Clo. L'ver —3E **19**
Fairway Clo. Alst —5D **6**
Fairway Cres. Alst —5D **6**
Fairwood Dri. Alv —5D **22**
Falcon Way. Sin —3A **30**
Fallow Rd. Spon —3F **15**
Falmouth Rd. Alv —6C **22**
Far Croft. Breas —3H **25**
Far La. Ock —4B **16**
Farley Dri. Der —1G **19**
Farley Rd. Der —1H **19**
Farm Dri. Alv —6A **22**
Farmhouse M. Find —3B **28**
Farmhouse Rd. Sin —3A **30**
Farmlands La. L'ver —5F **19**
Farm St. Der —5B **12** (6A **2**)
Farnborough Gdns. Alst —3H **7**
Farncombe La. Oak —4D **8**
Farndale Ct. Alv —5C **22**
Farneworth Rd. Mick —1A **18**
Farnham Clo. Mick —2A **18**
Farningham Clo. Spon —4F **15**
Farnway. Dar A —5E **7**
Farringdon Clo. Der —3D **10**
Faversham Clo. Alv —6H **21**
Fellow Lands Way. Chel —3A **32**
Fellside. Spon —3F **15**
Fenchurch Wlk. Der —3F **11**
Fenton Rd. Mick —1A **18**
Fenwick St. Der —4F **21**
Fernhill Ct. Chel —2A **32**
Fernilee Gdns. Chad —6D **8**
Fernwood Clo. L'ver —3G **19**
Ferrers Cres. Duf —3A **4**
Ferrers Way. Der —3A **4**
Festival Av. Breas —4G **25**
Field Clo. Borr —6H **15**
Field Cres. Alv —6A **22**
Field Dri. Alv —6A **22**
Fieldgate Dri. Oak —5D **8**
Field Head Way. Der —4F **9**
Field La. Alv —5B **22**
Field Rise. L'ver —4G **19**
Field View Clo. Alv —1B **32**
Fife St. Der —3G **21**
Filbert Wlk. Chel —5A **32**
Filey Wlk. Der —6B **8**
Fincham Clo. Der —6B **8**
Finchley Av. Der —3D **10**
Findern Clo. Alst —6D **6**
Findern St. Der —4H **11**
Finmere Clo. L'ver —3E **19**
Finningley Dri. Alst —5E **7**
Finsbury Av. Der —3F **11**
Finsley Wlk. Der —4A **20**
Firs Cres. Alst —3E **7**
Firtree Gro. Oak —5F **9**
Fisher La. Duf —2B **4**
Fisher St. Altn —5G **21**
Fiskerton Way. Oak —1B **16**

Five Lamps. Der —2B **12**
Five Lamps Ct. Der —1A **2**
Flamstead St. Altn —5G **21**
Flat Sq. Der —6G **7**
Flaxholme Av. Duf —5C **4**
Fleet St. Der —1C **20**
Flint St. Altn —5F **21**
Flood St. Ock —5A **16**
Folkestone Dri. Alv —6A **22**
Folly Rd. Dar A —6H **7**
Ford La. Alst & L Eat —2G **7**
  (in two parts)
Ford St. Der —4B **12** (3B **2**)
Fordwells Clo. L'ver —3E **19**
Foremark Av. Der —3A **20**
Forester St. Der —5B **12** (5B **2**)
Forester's Way. Der —4C **20**
Forman St. Der —4B **12** (4B **2**)
Forum Clo. Alv —6D **22**
Fountains Clo. Alst —3G **7**
Fowler Av. Spon —5D **14**
Fowler St. Der —4A **12**
Fowler St. Dray —4F **25**
Fox Clo. Sin —2H **29**
Foxdell Way. Chel —3A **32**
Foxes Wlk. Alst —3E **7**
Foxfields Dri. Oak —5C **8**
Foxglove Dri. Oak —5D **8**
Foxlands Av. Dar A —5F **7**
Foxley Ct. Oak —5E **9**
Fox St. Der —3C **12** (1D **2**)
Foyle Av. Chad —5A **14**
Frampton Gdns. L'ver —5D **18**
Franchise Ct. Der —5A **12**
Franchise St. Der —5A **12**
Francis St. Der —3F **13**
Franklyn Dri. Alv —5A **22**
Frazer Clo. Spon —3E **15**
Frederick Av. Alv —5H **21**
Frederick St. Der —3H **11**
Freehold St. Der —5A **12**
Freeman Av. Sun —5A **20**
Freesia Clo. Mick —2C **18**
Fremantle Rd. Mick —6C **10**
French St. Der —1A **20**
Fresco Dri. L'ver —4D **18**
Freshwater Ho. Alv —4C **22**
  (off Durley Clo.)
Friar Ga. Der —4A **12** (2A **2**)
  (in two parts)
Friar Ga. Ct. Der —4B **12** (3A **2**)
Friargate M. Der —4B **12** (4B **2**)
Friars Clo. Dar A —5F **7**
Friary Av. Altn —6G **21**
Friary St. Der —4B **12** (4B **2**)
Fritchley Clo. Chad —6E **9**
Frizams La. Find —6D **28**
Froggatt Clo. Alst —2G **7**
Fulbrook Rd. L'ver —3E **19**
Fulham Rd. Der —4E **11**
Full St. Der —3C **12** (2C **2**)
Fulmar Clo. Mick —6E **11**
Furrows Clo. Oak —4G **9**

Gable Ct. Mick —3C **18**
Gainsborough Clo. Oak —6F **9**
Gairloch Clo. Sin —3H **29**
Galway Av. Chad —5B **14**
Garden St. Der —3B **12** (1B **2**)
Garfield Av. Dray —4E **25**
Garfield Clo. L'ver —5G **19**
Garrick St. Alv —4A **22**
Garry Clo. Sin —3H **29**
Garsdale Ct. Alv —5D **22**
Garth Cres. Alv —5B **22**
Garthorpe Ct. Oak —5D **8**
Gary Clo. L'ver —6H **19**
Gascoigne Dri. Spon —5D **14**
Gaskell Av. Der —4A **20**
Gatcombe Clo. Oak —5F **9**

Gayton Av. L'ver —5H **19**
Gayton Thorpe Clo. L'ver
—4D **18**
Gema Clo. Alst —3G **7**
George St. Der —4B **12** (3B **2**)
George Yd. Der —4C **12** (3C **2**)
Gerard Clo. Spon —3F **15**
Gerard Ct. Der —5B **12** (5B **2**)
Gerard Gro. Etw —1C **26**
Gerard St. Der —4B **12** (4B **2**)
Gertrude Rd. Chad —1H **13**
Gertrude Rd. Dray —4E **25**
Gilamoor Ct. Alv —5C **22**
Gilbert Clo. Spon —5D **14**
Gilbert Cres. Duf —4B **4**
Gilbert St. Alv —6B **22**
(in two parts)
Gilderdale Way. Oak —4F **9**
Gilliver Gdns. Dray —4E **25**
Gisborne Clo. Mick —6C **10**
Gisborne Cres. Alst —3F **7**
Gisborne Grn. Der —3B **12**
Gladstone Clo. Chel —2H **31**
Gladstone Rd. Spon —4E **15**
Gladstone St. Der —2A **20**
Glaisdale Nook. Alv —5D **22**
(in two parts)
Glamis Clo. Oak —5F **9**
Glastonbury Rd. Alv —4C **22**
Glebe Rise. L'ver —2G **19**
Glencroft Dri. Sin —2H **29**
Glendale Dri. Spon —4F **15**
Glendon Rd. Sin —2H **29**
Gleneagles Clo. Mick —1D **18**
Glenfield Cres. Mick —1A **18**
Glengarry Way. Sin —1A **30**
Glenmore Dri. Sin —1H **29**
Glenmoy Clo. Sun —4A **20**
Glenn Way. Shard —4C **34**
Glenorchy Ct. Oak —4F **9**
Glenwood Rd. Chel —5A **32**
(in two parts)
Glossop St. Der —4D **20**
Gloster St. Der —1G **21**
Goathland Rd. Sin —3H **29**
Goldcrest Dri. Spon —3F **15**
Golders Grn. Wlk. Der —3E **11**
Gold La. Der —1C **10**
Goodale St. Der —2C **20**
Goodrington Rd. Oak —4G **9**
Goodsmoor Rd. L'ver & Sin
—6H **19**
Goodsmoor Rd. Ind. Est. Sin
—6A **20**
Goodwood Dri. Alv —5C **22**
Gordon Rd. Borr —2H **23**
Gordon Rd. Der —6B **12**
Gorse Clo. L'ver —5F **19**
Gorsty Leys. Find —4A **28**
Gosforth Rd. Alv —4G **21**
Gower St. Der —5C **12** (5C **2**)
Grafham Clo. Chel —2A **32**
Grafton St. Der —1A **20**
Grampian Way. Sin —2H **29**
Grandstand Rd. Der —3E **13**
Grange Av. Breas —3H **35**
Grange Av. Der —4A **20**
Grange Rd. Alv —6B **22**
Grange St. Der —1D **20**
(in two parts)
Grant Av. Chad —4B **14**
Grantham Av. Der —6B **8**
Granville Clo. Duf —3B **4**
Granville St. Der —4A **12**
Grasmere Av. Spon —3E **15**
Grasmere Cres. Sin —1A **30**
Grassthorpe Clo. Oak —6F **9**
Grassy La. Der —4G **19**

Gravel Pit La. Spon —4E **15**
Grayling St. Der —1D **20**
Gt. Northern Rd. Der
—4A **12** (4A **2**)
Greatorex Av. Altn —6G **21**
Greenacres. L'ver —3F **19**
Green Av. Chel —4A **32**
Green Bank. Spon —5D **14**
Greenburn Clo. L'ver —5G **19**
Greenfields Av. L'ver —4F **19**
Greenfinch Clo. Spon —3F **15**
Greenland Av. Der —4F **11**
Green La. Alv —3B **22**
Green La. Der —4C **12** (6C **2**)
Green La. Etw —1F **27**
Green La. Ock —4A **16**
Green Leys. Ast T —5G **33**
Green Pk. Der —3E **11**
Greenside Ct. Mick —1A **18**
Green, The. Alst —6D **6**
Green, The. Ast T —5H **33**
Green, The. Dray —4E **25**
Green, The. Find —3B **28**
Green, The. Mick —2B **18**
Green Way. Find —3B **28**
Greenway Clo. Borr —6H **15**
Greenwich Dri. N. Der —3F **11**
Greenwich Dri. S. Der —4E **11**
Greenwood Av. Chad —1H **13**
Greenwood Ct. Der
—3C **12** (2D **2**)
Gregory Av. Breas —3G **35**
Gregory Wlk. L'ver —4C **18**
Grenfell Av. Sun —5A **20**
Gresham Rd. Der —3E **21**
Grey St. Der —5B **12** (6B **2**)
Griffin Clo. Alv —4H **21**
Grimshaw Av. Alv —4B **22**
Grindlow Rd. Chad —1A **14**
Grosvenor St. Der —2E **21**
Grovebury Dri. L'ver —6G **19**
Grove Clo. Thul —1F **33**
Grove Ct. Ast T —1F **33**
Grove Ho. Der —6C **12**
Grove Pk. Etw —3B **26**
Groves Nook. Chel —4G **31**
Grove St. Der —6C **12**
(in two parts)
Grove, The. Mick —1C **18**
Gurney Av. Sun —5H **19**
Gypsy La. Dray —3C **24**

Haddon Clo. Alst —4D **6**
Haddon Dri. Alst —4D **6**
Haddon Dri. L Eat —4F **5**
Haddon Dri. Mick —6C **10**
Haddon Dri. Spon —5F **15**
Haddon St. Der —2A **20**
Haig St. Der —3H **21**
Hailsham Clo. Mick —6B **10**
Hains Clo. Sin —1B **30**
Halifax Clo. Der —6A **8**
Hall Dyke. Spon —4D **14**
Hall Farm Rd. Duf —4B **4**
Hall Pk. Clo. L'ver —2F **19**
Hall St. Alv —4A **22**
Halstock Dri. Alv —3C **22**
Hambledon Dri. Sin —3H **29**
Hamblin Cres. Sin —1B **30**
Hamilton Clo. Mick —6D **10**
Hamilton Dri. Der —1B **20**
Hamilton Rd. Spon —3F **15**
Hampden St. Der —3C **20**
Hampshire Rd. Der —1E **13**
Hampstead Dri. Der —3E **11**
Hampton Clo. Spon —4F **15**
Hanbury Rd. Chad —3G **13**
Handel St. Der —3E **21**
Handford Ct. Der —4A **12**
Handford St. Der —4H **11**

Handyside St. Der —3C **12** (1C **2**)
Hanger Bank. Ast T —5H **33**
Hanover Sq. Der —3E **11**
Hansard Ga. Der —4E **13** (3G **3**)
Hanslynn. Thul —1F **33**
Hanwell Way. Der —3F **11**
Harcourt St. Der —5B **12** (6B **2**)
Hardhurst Rd. Alv —6B **22**
Hardwick Av. Alst —4D **6**
Hardwick Dri. Mick —1C **18**
Hardwick St. Der —3E **21**
Harebell Clo. Oak —4E **9**
Harepit Clo. Alv —6A **22**
Harewood Rd. Alst —4D **6**
Hargrave Av. Ock —4A **16**
Harlech Clo. Spon —4G **15**
Harlesden Av. Der —2E **11**
Harlow Clo. Alv —1H **31**
Harold Ct. Der —1D **20**
Harpswell Clo. Alst —5E **7**
Harpur Av. L'ver —4F **19**
Harrier Way. Sin —2A **30**
Harriet St. Der —6C **12**
Harringay Gdns. Der —3G **11**
Harrington Av. Borr —1A **24**
Harrington Rd. L'ver —2G **19**
Harrington St. Altn —5G **21**
Harrington St. Der —3C **20**
Harrington St. Dray —4F **25**
Harrison St. Der —6A **12**
Harrogate Cres. Der —6B **8**
Harrow St. Der —1G **21**
Hartington St. Der —6C **12**
Hartington Way. Mick —2B **18**
Hartland Dri. Sun —5H **19**
Hartshorne Rd. Der —5G **19**
Harvest Way. Oak —4G **9**
Harvey Rd. Der —5G **21**
Hasgill Clo. Oak —4F **9**
Haslam's La. Der —6H **7**
Haslemere Ct. Der —1D **20**
Hassop Rd. Chad —1A **14**
Hastings St. Der —2C **20**
(in two parts)
Hatchmere Clo. Oak —6E **9**
Hatfield Rd. Alv —6H **21**
Hathern Clo. Sun —6A **20**
Hathersage Av. Der —3A **20**
Havelock Rd. Der —3B **20**
Haven Baulk Av. L'ver —4C **18**
Haven Baulk La. Mick & L'ver
—4B **18**
Haven Ct. Alv —5D **22**
Hawke St. Der —4G **11**
Hawkshead Av. Der —6B **8**
Hawthorn Cres. Find —3B **28**
Hawthorne Av. Alv —4A **22**
Hawthorne Av. Borr —6H **15**
Hawthorns, The. L Eat —6G **5**
Hawthorn St. Der —3E **21**
Hawtrey Gdns. Der —5A **22**
Haydn Rd. Chad —1H **13**
Haydock Pk. Rd. Der —3G **21**
Hayes Av. Breas —4F **35**
Hayes Av. Der —3H **19**
Hayes, The. Find —4A **28**
Haymarket. Der —4C **2**
Haywood Clo. Alv —6A **22**
Hazel Av. L'ver —5H **19**
Hazel Clo. Find —3C **28**
Hazeldene Clo. Duf —1B **4**
Hazel Dri. Spon —3G **15**
Hazel Gro. Duf —3B **4**
Hazelwood Rd. Chad —1H **13**
Hazelwood Rd. Duf —1A **4**
Headingley Ct. L'ver —3G **19**
Heanor Ho. Spon —6E **15**
Heath Av. L'ver —2G **19**
Heathcote Clo. Alv —6C **22**
Heathcotes Cotts. Der —6C **12**
Heath Ct. Sin —2A **30**

Heather Clo. Sin —3H **29**
Heather Cres. L'ver —5G **19**
Heath La. Find —5B **28**
Hebden Clo. L'ver —5D **18**
Hebrides Clo. Sin —2H **29**
Hedgebank Ct. Oak —4G **9**
Hedgerow Gdns. Oak —4G **9**
Hedingham Way. Mick —2A **18**
Heigham Clo. Der —2F **31**
Helston Clo. Alv —5B **22**
Hemlock Clo. Oak —4D **8**
Hendon Way. Der —3F **11**
Henley Grn. Der —3D **10**
Henry St. Der —3B **12** (1B **2**)
(in two parts)
Hereford Rd. Chad —1F **13**
Hermitage Av. Borr —1A **24**
Hermitage Ct. Oak —6F **9**
Heronswood Dri. Spon —3D **14**
Heron Way. Mick —1E **19**
Hexham Wlk. Der —6C **8**
Heyworth St. Der —3H **11**
Hickling Clo. Sh L —2F **31**
Highbury Clo. Der —3D **10**
Highfield Cotts. Chad —4G **13**
Highfield Gdns. Der —2B **12**
Highfield La. Chad —4G **13**
Highfield M. Der —4G **13**
Highfield Rd. Der —2B **12**
Highfield Rd. L Eat —6F **5**
Highfield Rd. L'ver —4G **19**
Highgate Grn. Der —4E **11**
Highgates. Der —5C **12** (6D **2**)
Highgrove Dri. Chel —3H **31**
High St. Chellaston, Chel
—4H **31**
High St. Derby, Der —6D **12**
Hilderstone Clo. Alv —5D **22**
Hill Brow. Der —1G **21** (5C **2**)
Hill Clo. Spon —5E **15**
Hillcrest Dri. Chel —2H **31**
Hill Crest Rd. Der —2F **13**
Hillcroft Dri. Ock —5A **16**
Hillcross Av. L'ver —4G **19**
Hillcross Dri. L'ver —4F **19**
Hill Nook Clo. Chel —5A **32**
Hill Rise Clo. L'ver —3H **19**
Hillside. Find —3A **28**
Hillside Av. Chad —4A **14**
Hillside Cres. Spon —5F **15**
Hillside Rd. Spon —5E **15**
Hill Sq., The. Dar A —6G **7**
Hills Rd. Breas —3F **25**
Hillsway. Chel —2H **31**
Hillsway. L'ver —2F **19**
Hill, The. Dar A —6G **7**
Hill Top. Oak —4C **8**
Hill View. Duf —3A **4**
Hill View Gro. Spon —4E **15**
Hilton Clo. Mick —2B **18**
Hilton Rd. Egg —6A **26**
Hilton Rd. Etw —1A **26**
Hind Av. Breas —3G **25**
Hindscarth Cres. Mick —2C **18**
Hixon's La. Ilk —1F **17**
Hobart Clo. Mick —1D **18**
Hobkirk Dri. Sin —3A **30**
Hodge Beck Clo. Alv —5C **22**
Hodthorpe Clo. Oak —6F **9**
Holborn Dri. Der —2E **11**
Holbrook Rd. Alv —6A **22**
Holcombe St. Der —2D **20**
Holden Av. Ast T —5G **33**
Holden Ct. Der —3A **22**
Holderness Clo. Sin —3H **29**
Hollies Rd. Alst —4D **6**
Hollington Clo. Chad —2G **13**
Hollis St. Der —3A **22**
Holloway Av. Alv —5H **21**
Holloway Rd. Duf —2A **4**
Hollowood Av. L'ver —3G **19**

Hollow, The. L'ver —3G **19**
Hollow, The. Mick —2B **18**
(in two parts)
Hollybrook Way. L'ver —5D **18**
Holly Bush La. Mak —1D **4**
Holly Ct. Mick —2B **18**
Hollymoor Dri. Chel —3G **31**
Holm Av. L Eat —6E **5**
Holme La. Spon —6C **14**
Holmesfield Dri. Mick —1D **18**
Holmes Rd. Breas —3H **25**
Holmes St. Der —1C **20**
Holmfield. Der —4A **20**
Holmoak Clo. Oak —4F **9**
Holt Av. Alv —5C **22**
Holtlands Dri. Alv —6H **21**
Holyhead Dri. Oak —4F **9**
Holyrood Clo. Spon —4F **15**
Home Farm Clo. Ock —4A **16**
Home Farm Dri. Der —3G **7**
Hope Av. Mick —1B **18**
Hope St. Der —5D **12** (5E **3**)
Hopetoun St. Der —3C **20**
Hopton Clo. Chad —6E **9**
Hopwell Rd. Dray —6E **17**
Hornbeam Clo. Oak —5C **8**
Horncastle Rd. Der —6B **8**
Hornsea Rd. Der —6B **8**
Horsley La. Cox —2H **5**
Horton St. Der —1E **21**
Horwood Av. Der —1H **19**
Hospital La. Mick —4A **18**
Houghton Ct. Oak —5D **8**
Hoult St. Der —5H **11**
Hounslow Rd. Der —3F **11**
Houston Clo. Chad —3B **14**
Hoveton Clo. Sh L —2F **31**
Howard St. Der —1B **20**
Howden Clo. Mick —2A **18**
Howe St. Der —4H **11**
Howth Clo. Chad —5A **14**
Hoylake Ct. Mick —6A **10**
Hoylake Dri. Mick —6A **10**
Hubert Shaw Clo. Sh L —1G **31**
Hucklow Ct. Oak —4F **9**
Hulland St. Der —6E **13**
Hulland View. Alst —6D **6**
Humber Clo. Alv —5C **22**
Humbleton Dri. Der —4E **11**
Hunters Croft. Sin —3A **30**
Huntingdon Grn. Der
—3E **13** (2H **3**)
Huntley Av. Spon —3F **15**
Hutton St. Altn —5G **21**
Hyde Pk. Rd. Der —3E **11**

Ibsley Clo. Alv —5C **22**
Ilford Rd. Der —4E **11**
Ilford Wlk. Der —4E **11**
Imperial Ct. Alst —2D **6**
Industrial St. Der —1C **20**
Ingham Dri. Mick —3B **18**
Ingleby Av. Der —4A **20**
Ingle Clo. Spon —4E **15**
Inglewood Av. Mick —6A **10**
Ingliston Clo. Alv —5D **22**
Inn La. Quar —1B **6**
Instow Dri. Sun —6H **19**
Inveraray Clo. Sin —2H **29**
Iona Clo. Sin —1A **30**
Iron Ga. Der —4C **12** (3C **2**)
Irvine Clo. Sin —2H **29**
Irving Pl. Alv —4H **21**
Islay Rd. Sin —1A **30**
Isleworth Dri. Der —3D **10**
Ismay Rd. Chad —3H **13**
Ivernia Clo. Sun —6A **20**
Ivybridge Clo. Oak —4G **9**
Ivy Sq. Der —1E **21**

Jacksdale Clo. Alst —6D **6**
Jackson Av. Mick —1E **19**
Jacksons La. Etw —3C **26**
Jackson St. Der —5A **12**
Jarvey's La. Der —1C **10**
Jarvis Rd. Sin —3A **30**
Jasmine Clo. Chad —5B **14**
Jedburgh Clo. Sin —3A **30**
Jefferson Pl. Alv —4H **21**
Jemison Clo. L'ver —4C **18**
Jessop Dri. Sin —3A **30**
John Berrysford Clo. Chad
—4H **13**
John F. Kennedy Gdns. Chad
—3C **14**
John Fort Clo. Etw —1C **26**
John Lombe Dri. Der —2C **12**
Johnson Av. Altn —4G **21**
John St. Der —5D **12** (6F **3**)
Joseph St. Der —2C **20**
Jubalton Clo. Altn —5G **21**
Jubilee Rd. Sh L —1G **31**
Junction St. Der —5H **11**
Jury St. Der —4B **12** (3B **2**)

Katrine Wlk. Sin —1A **30**
Kean Pl. Alv —4H **21**
Keats Av. L'ver —2E **19**
Keble Clo. Der —6D **12**
Kedleston Clo. Alst —6D **6**
Kedleston Gdns. Der
—3B **12** (1B **2**)
Kedleston Old Rd. Der —1H **11**
Kedleston Rd. Der —1A **6**
Kedleston St. Der —3B **12** (1A **2**)
Kegworth Av. L'ver —5G **19**
Keldholme La. Alv —4C **22**
Kelmoor Rd. Alv —4B **22**
Kelso Wlk. Sin —3A **30**
Kemble Pl. Alv —4H **21**
Kempton Pk. Clo. Der —3F **21**
Kendal Wlk. Der —6B **8**
Kendon Av. Sun —5A **20**
Kenilworth Av. Der —3B **20**
Kennedy Clo. Chad —2A **14**
Kensal Rise. Der —3F **11**
Kensington St. Der —4B **12** (4A **2**)
Kentish Ct. Der —2D **12**
Kent St. Der —2F **13**
Kernel Clo. L'ver —3E **19**
Kerry St. Der —2F **13**
Kershope Dri. Oak —4F **9**
Kestrel Ho. Sin —3A **30**
Kestrels Croft. Sin —2A **30**
Keswick Av. Sun —5A **20**
Kevin Clo. Chad —1B **14**
Kew Gdns. Der —4F **11**
Keyhaven Clo. Der —1F **13**
Keynsham Clo. Alv —3G **21**
Keys St. Der —3D **12** (2E **3**)
Kibworth Clo. Oak —6F **9**
Kildare Rd. Chad —5B **14**
Killingworth Av. Sin —1B **30**
Kiln Croft. Etw —1C **26**
Kilnsey Ct. L'ver —5D **18**
Kimberley Rd. Borr —1H **23**
Kinder Wlk. Der —5A **12**
King Alfred St. Der —5B **12** (5A **2**)
Kingfisher Wlk. Sin —3A **30**
Kingsbury Rd. Der —3E **11**
Kingsclere Av. Oak —5F **9**
Kings Ct. Der —3C **12** (1C **2**)
Kingscroft. Alst —3F **7**
Kings Dri. Mick & L'ver —1F **19**
Kingsland Clo. Oak —5C **8**
Kingsley Rd. Alst —4D **6**
Kingsley St. Der —6B **20**
King's Mead Clo. Der
—3B **12** (1B **2**)
King's Mead Ho. Der —2B **12**

Kingsmead Ind. Est. Der —3H **11**
King's Mead Wlk. Der
—3B **12** (1B **2**)
Kingsmuir Rd. Mick —6A **10**
Kingston St. Der —2B **12**
King St. Der —3B **12** (1B **2**)
King St. Duf —2B **4**
Kingsway. Der —4F **11**
Kingsway Ind. Pk. Der —4F **11**
Kingsway Pk. Clo. Der —4F **11**
Kingsway Retail Pk. Der —4G **11**
Kinross Av. Der —1E **13**
Kintyre Dri. Sin —2H **29**
Kipling Dri. Mick —2B **18**
Kirkdale Av. Spon —6F **15**
Kirkfield Dri. Breas —3H **25**
Kirkistown Clo. Alv —5C **22**
Kirkland Way. Sin —2H **29**
Kirk Leys Av. N. Spon —5E **15**
Kirk Leys Av. S. Spon —5E **15**
Kirkstead Clo. Oak —6F **9**
Kirk St. Der —2C **12**
Kitchener Av. Der —4B **20**
Knightsbridge. Der —3E **11**
Knights Clo. Sin —3A **30**
Knoll Clo. L'ver —3E **19**
Knutsford Grn. Der —5B **8**
Kyle Gro. Oak —4F **9**
Kynance Clo. Alv —6C **22**

Laburnum Cres. Alst —2D **6**
Laburnum Gro. Kgswy —4E **11**
Laburnum Way. Etw —2C **26**
Ladbroke Gdns. Der —3D **10**
Ladybank Rd. Mick —6A **10**
Ladybower Rd. Spon —5F **15**
Ladycroft Paddock. Alst —3E **7**
Ladygrove Cotts. Der —6D **12**
Lady Mantle Clo. Chel —3G **31**
Lake Dri. Der —3B **20**
Lakeside Dri. L'ver —4D **18**
Lambe Ct. Der —6D **12**
Lambley Dri. Alst —5C **6**
Lambourn Ct. Der —3G **7**
Lambourn Dri. Alst —3G **7**
Lambrook Clo. Mick —1A **18**
Lampeter Clo. Oak —5F **9**
Lanark St. Der —2G **13**
Lancaster Wlk. Spon —3G **15**
Landmere. Sin —2H **29**
Langdale Dri. Bread —6B **8**
Langford Rd. Mick —6B **10**
Langley Rd. Spon —6E **15**
Langley St. Der —4H **11**
Lang Rd. Alv —5H **21**
Langsett St. Der —3A **32**
Lanscombe Pk. Rd. L'ver —6E **7**
Lansdowne Av. Alv —6H **21**
Lansing Gdns. Chad —3B **14**
Lapwing Clo. Sin —3A **30**
Larch Clo. Alst —4D **6**
Larges St. Der —4A **12**
Lark Clo. L'ver —5G **19**
Larkhill Cres. Sin —1B **30**
Larkin Clo. Sin —6C **20**
Larkspur Ct. Oak —4E **9**
Lashley Gdns. Oak —5D **8**
Lathbury Clo. Der —6B **8**
Lathkill Av. Alv —4C **22**
Lathkill Rd. Chad —1H **13**
Latimer Clo. L'ver —4C **18**
Latimer St. Der —5F **21**
Latrigg Clo. Mick —2C **18**
Lauder Clo. Sin —3A **30**
Launceston Rd. Alv —6B **22**
Laurie Pl. Altn —4G **21**
Lavender Row. Dar A —6F **7**
Laverstoke Ct. Der —5A **12**
Lawn Av. Alst —5D **6**
Lawn Av. Etw —1C **26**

Lawnheads Av. L'ver —1G **19**
Lawnside. Spon —4F **15**
Lawns, The. Ast T —5H **33**
Lawnswood Clo. L'ver —6E **7**
Lawrence Av. Breas —3H **25**
Lawrence Av. Chad —2B **14**
Lawrence St. Der —3B **20**
Lea Clo. Alst —4E **7**
Leacroft Rd. Der —2D **20**
Lea Dri. Chad —3H **13**
Lea Dri. Mick —6B **10**
Leafenden Clo. Dar A —5G **7**
Leafgreen La. L'ver —5G **19**
Leake St. Der —4H **11**
Leamington Clo. Der —2H **19**
Leander Clo. L'ver —4H **19**
Leaper St. Der —3A **12**
Leawood Gdns. Oak —4F **9**
Ledbury Chase. Sin —3H **29**
Ledbury Pl. Der —6B **8**
Leeds Pl. Der —5E **13** (6G **3**)
Lee Farm Clo. Chel —4H **31**
Lees Brook Ho. Chad —2A **14**
Leeway. Spon —5D **14**
Leicester St. Der —6A **12**
Leman St. Der —6A **12**
Lens Rd. Alst —5C **6**
Lenton Av. Chad —3H **13**
Leominster Dri. Oak —5F **9**
Leonard St. Der —6D **12**
Leonard Wlk. Der —6C **12**
Leopold St. Der —6C **12** (6C **2**)
Leslie Clo. L'ver —4C **18**
Leven Clo. Sin —3B **30**
Lewis Ellise Home, The. Der
—3F **11**
Lewis St. Der —2B **20**
Lewiston Rd. Chad —4B **14**
Lexington Rd. Chad —3C **14**
Leyland Ct. Der —2A **12**
Leyland Gdns. Der —2A **12**
Leylands. Der —1A **12**
Leyland St. Der —2A **12**
Leys, The. L Eat —4G **5**
Leytonstone Dri. L'ver —4E **11**
Lidgate Clo. Mick —2A **18**
Lilac Av. Kgswy —4E **11**
Lilac Clo. Alv —5A **22**
Lilac Ct. Alv —5A **22**
Lilac Way. Alst —5D **6**
Lilian Prime Clo. Alv —3B **22**
Lilley St. Alv —5B **22**
Lime Av. Bread —5B **8**
Lime Av. Der —6B **12**
Lime Av. Duf —2B **4**
Limedale Av. Oak —4F **9**
Lime Gro. Chad —4B **14**
Lime Gro. Dray —4D **24**
Lime La. Oak & Morl —4E **9**
(in two parts)
Limerick Rd. Der —5B **14**
Limes Av. Mick —2B **18**
Lime Tree Av. Der —4B **12** (3A **2**)
Lime Wlk. L'ver —2H **19**
Linacres Dri. Chel —3A **32**
Lincoln Av. Der —3A **22**
Lincoln Grn. Chel —3H **31**
Lindford Clo. Oak —4D **8**
Lindisfarne Clo. Sin —2H **29**
Lindon Dri. Alv —5C **22**
Lindrick Clo. Mick —1D **18**
Lindsey Clo. Der —3G **13**
Lingfield Rise. Mick —6A **10**
Links Clo. Sin —1B **30**
Linnet Clo. Spon —3F **15**
Liskeard Dri. Alst —3D **6**
Lismore Ct. Sin —1H **29**
Lister Clo. Der —6F **11**
Liston Dri. Der —1B **12**
Litchfield Dri. Alv —4A **22**
Litchurch La. Der —1E **21**

Litchurch Plaza. Der —1E 21
Lit. Bridge St. Der —3B 12 (2A 2)
Littledale Clo. Oak —4G 9
Lit. Eaton By-Pass. Bread —2A 8
Lit. Eaton By-Pass. Holb & L Eat —1H 5
Lit. Longstone Clo. Mick —1D 18
Lit. Noel St. Der —3H 11
Littleover Cres. Der —3H 19
Littleover La. Der —3H 19
Lit. Parliament St. Der —5B 12 (6A 2)
Lit. Woodbury Dri. L'ver —5D 18
Litton Dri. Spon —6F 15
Liverpool St. Der —1G 13
Liversage Almshouses. Der —5D 12 (6E 3)
Liversage Ct. Der —5D 12 (6F 3)
Liversage Pl. Der —5D 12 (6E 3)
Liversage Rd. Der —5D 12 (6E 3)
Liversage St. Der —5D 12 (5E 3)
Liversage Wlk. Der —5D 12 (5F 3)
Livingstone Rd. Der —2A 20
Lloyd St. Der —4H 11
Lochinvar Clo. Spon —5F 15
Lockington Clo. Chel —3H 31
Locko Ct. Spon —4D 14
Locko Rd. Der —4H 9
Lock-up Yd. Der —4C 12 (4D 2)
Lockwood Rd. Alst —3D 6
Lodge Clo. Duf —3B 4
Lodge Clo. Etw —1C 26
Lodge La. Der —3B 12 (2B 2)
Lodge La. Spon —5D 14
Lodge La. N. Spon —5D 14
Lodge St. Dray —4E 25
Lodge Way. Mick —2B 18
Lombard St. Der —3D 10
Lomond Av. Sin —3B 30
London Rd. Alv —6D 22
London Rd. Der —5C 12 (5D 2)
London Rd. Shard —4C 34
Longbridge La. Der —3F 21
Long Cottage. Ast T —5H 33
Long Croft. Ast T —5G 33
Longdon's Row. Spon —4D 14
Longford Clo. Alst —6D 6
Longford St. Der —1H 11
Longlands La. Find —4A 28
Longley La. Spon —3D 14
Longmoor La. Breas —2H 25
Long Row. Shard —3F 35
Longstock Clo. Oak —6C 8
Longstone Wlk. Der —5B 12 (6B 2)
Longthorpe Clo. L'ver —4E 19
Lonsdale Pl. Der —5H 11
Lord St. Altn —6F 21
Lorne St. Der —6B 12
Lorraine Clo. Sh L —2G 31
Loscoe Rd. Chad —6E 9
Lothian Pl. Der —2F 7
Lothlorien Clo. L'ver —4F 19
Loudon St. Der —6C 12
Louise Greaves La. Spon —3E 15
Louvain Rd. Der —4A 20
Lwr. Dale Rd. Der —1B 20
Lwr. Eley St. Der —6B 12
Lower Grn. Find —4B 28
Lower Rd. Mack —1C 10
Lowes La. Swar —6E 31
Lowe St. Altn —5G 21
Loxley Clo. Oak —5F 9
Loxton Ct. Mick —6B 10
Loyne Clo. Sin —3B 30
Luccombe Dri. Alv —6D 22
Lucerne Rd. Oak —4G 9
Ludgate Wlk. Der —4C 10
Ludlow Clo. Spon —4F 15
Lulworth Clo. L'ver —5H 19
Lundie Clo. Sin —3H 29

Lupin Clo. Oak —4G 9
Lychgate Clo. Oak —5B 8
Lydstep Clo. Oak —5G 9
Lyndhurst Gro. Chad —4A 14
Lyndhurst St. Der —1C 20
Lynton St. Der —5A 12 (6A 2)
Lynwood Rd. Sin —1B 30
Lytham Clo. Der —6B 8
Lyttelton St. Der —4G 11

Macaulay St. Sin —6C 20
McGough M. Sin —6C 20
Mackenzie St. Der —3G 11
Macklin St. Der —4B 12 (4B 2)
Mackworth Rd. Der —3A 12
McNeil Gro. Dray —4E 25
Macready Pl. Alv —4H 21
Madeley Ct. Mick —2B 18
Madeley St. Der —1C 20
Madison Av. Chad —2G 13
Maidstone Dri. Alv —6H 21
Main Av. Alst —2F 7
Maine Dri. Chad —3A 14
Main Rd. Morl —3E 9
Main St. Breas —3H 25
Main St. Elv —5G 23
Main St. Etw —1B 26
Main St. Find —4B 28
Makeney Rd. Duf —4C 4
Makeney Rd. Holb —1E 5
Makeney Rd. Milf —1D 4
Malcolm Gro. L'ver —3C 18
Malcolm St. Der —1D 20
Malham Rd. L'ver —5D 18
Malin Clo. Alv —6B 22
Maltby Clo. Alst —5F 7
Maltings, The. Der —5C 12 (5D 2)
Malton Pl. Der —6B 8
Malvern Clo. Mick —6B 10
Malvern Way. Der —6B 8
Manchester St. Der —3H 11
Manifold Dri. Alv —3B 22
Manor Av. Mick —6G 11
Manor Ct. Breas —3H 25
Manor Farm Rd. Ast T —5H 33
Manor Leigh. Breas —3H 25
Manor Pk. Borr —2G 23
Manor Pk. Ct. Der —6F 11
Manor Pk. Way. Der —6F 11
Manor Rd. Borr —2G 23
Manor Rd. Chel —4H 31
Manor Rd. Der —6G 11
Mansfield Rd. Der & Oak —3C 12 (1D 2)
Mansfields Croft. Etw —1B 26
Mansfield St. Der —2C 12
Maple Av. L'ver —5H 19
Maplebeck Ct. Der —3C 12 (1D 2)
Maple Dri. Alv —5A 22
Maple Dri. Chel —4H 31
Maple Gro. Alst —2D 6
Mapleton Av. Chad —6D 8
Mapleton Rd. Dray —3E 25
Marchington Clo. Alst —6E 7
Marcus St. Der —2C 12
Maree Clo. Sin —1A 30
Marfleet Clo. Mick —6A 10
Margaret Av. Chad —4H 13
Margaret St. Der —2C 12
Margreave Rd. Chad —2H 13
Marigold Clo. Oak —4F 9
Marina Dri. Altn —6G 21
Marina Dri. Spon —4D 14
Marjorie Rd. Chad —1G 13
Markeaton La. Der —2E 11
Markeaton St. Der —2H 11
Market Pl. Der —4C 12 (3D 2)
Market St. Der —4C 12 (4D 2)
Market St. Dray —4E 25
Markham Ct. Oak —5C 8

Mark's Clo. Sun —5H 19
Marlborough Rd. Breas —4H 25
Marlborough Rd. Der —4D 20
Marlowe Ct. Der —5B 20 (in two parts)
Marsden Clo. Duf —3B 4
Marsden St. Altn —4G 21
Marshaw Clo. Mick —2C 13
Marshgreen Clo. Alv —6D 22
Marston Clo. L'ver —6H 19
Martin Dri. Chad —1A 14
Maryland Rd. Chad —3B 14
Marylebone Cres. Der —3D 10
Masefield Av. Der —4A 20
Masson Wlk. Der —5A 12
Matlock Ho. Spon —6E 15
Matlock Rd. Chad —6D 8
Matthew St. Alv —5H 21
Matthew Way. L'ver —4C 18
Max Rd. Chad —1G 13
Maxwell Av. Der —1H 11
Mayfair Cres. Der —3C 10
Mayfield Rd. Chad —2G 13
Maylands. Borr —2H 23
Maypole La. L'ver —4C 18
May St. Der —6B 12
Maytree Clo. Oak —4G 9
Mead Clo. Sin —1B 30
Meadow Clo. Dray —4E 25
Meadow Clo. Find —3B 28
Meadow Clo. Spon —5E 15
Meadowgrass Clo. L'ver —5F 19
Meadow La. Alv —2H 21
Meadow La. Chad —5H 13
Meadowlark Gro. Oak —6E 9
Meadow Nook. Bo M —1C 32
Meadow Rd. Der —4D 12 (3E 3) (in two parts)
Meadows Croft. Duf —3A 4
Meadows Ind. Est., The. Der —4F 13
Meadow Vale. Duf —3A 4
Meadow View Clo. Oak —4F 9
Meadow Way. Chel —4A 32
Meath Av. Chad —5B 14
Medina Clo. Alv —6D 22
Medway Dri. Alv —2G 7
Meerbrook Clo. Oak —6E 9
Megaloughton La. Spon —6B 14
Melandra Ct. Der —5A 12
Melbourne Clo. Alst —5D 6
Melbourne Clo. Belp —4B 4
Melbourne Clo. Mick —6D 10
Melbourne Ho. Spon —6E 15
Melbourne St. Der —6C 12
Melbreak Clo. Mick —2C 18
Melfort Clo. Sin —3B 30
Mellor St. Altn —5G 21
Melrose Clo. Sin —3A 30
Melton Av. L'ver —5G 19
Melville Ct. Etw —2B 26
Memorial Rd. Alst —5C 6
Mendip Ct. Oak —5C 8
Menin Rd. Alst —5C 6
Mercaston Rd. Chad —1H 13
Merchant Av. Spon —5D 14
Merchant St. Der —3A 12
Mercian M. Spon —5D 14
Mere Dri. Borr —2A 24
Merlin Grn. Sin —1H 29
Merridale Rd. L'ver —4G 19
Merrill Way. Altn —6F 21
Merrybower Clo. Sin —2G 29
Merthyr Ct. Oak —5F 9
Metcalfe Av. Der —3B 22
Meteor Cen. Der —6A 8
Mews, The. Duf —3B 4
Meynell Ct. Alst —5C 6
Meynell St. Der —2B 20
Michelle Clo. Sin —2G 29
Michigan Clo. Chad —4C 14

Micklecroft Gdns. L'ver —4C 18
Mickleover By-Pass. Mick —5B 18
Mickleross Clo. Mick —5B 10
Middlebeck Clo. Chel —3H 31
Middleton Av. L'ver —1G 19
Middleton Dri. L'ver —1G 19
Middleton St. Der —2C 20
Midland Pl. Der —5E 13 (6G 3)
Midland Rd. Der —6D 12
Midway. Dar A —5E 7
Milburn Gdns. Oak —4F 9
Milbury Clo. Oak —5D 8
Mileash La. Dar A —6F 7
Milford Rd. Duf —1B 4
Milford St. Der —2B 12
Millbank Clo. Der —3C 10
Mill Clo. Borr —2A 24
Mill Clo. Find —3B 28
Mill Croft. Mick —5B 10
Milldale Rd. Spon —6F 15
Millers Ct. Der —1C 2
Mill Hill. Bo M —1C 32
Mill Hill La. Breas —2H 25
Mill Hill La. Der —6B 12
Mill Hill Rd. Der —6B 12
Mill La. Mick —5B 10
Mill Meadow Way. Etw —1B 26
Mill Moor Clo. Chel —3G 31
Millom Pl. Der —6B 8
Mill Row. Spon —4D 14
Mills Clo. Dray —4E 25
Mill St. Der —3A 12
Milner Av. Dray —4E 25
Milner Ho. Der —2A 12
Milton Clo. Mick —6A 10
Milton St. Der —5H 11
Mimosa Cres. Sun —6A 20
Minster Rd. Oak —5C 8
Misterton Clo. Alst —5E 7
Mitcham Wlk. Der —3E 11
Moira Clo. Chad —2A 14
Molineux St. Der —1D 20
Monarch Dri. Oak —4H 9
Moncrieff Cres. Chad —1A 14
Mondello Dri. Alv —5C 22
Monks Clo. Sin —2H 29
Monk St. Der —5B 12 (5A 2)
Monmouth St. Der —3F 13
Monsal Dri. Spon —6F 15
Montpelier. Quar —1D 6
Montrose Clo. Sin —1A 30
Monyash Clo. Chad —1A 14
Moor Dri. Alv —6A 22
Moor End. Spon —4E 15
Moore St. Der —6C 12
Moorgate. Mack —3C 10
Moorhead Av. Alv —6H 21
Moorland Rd. Mick —6B 10
Moor La. Altn —6E 21
Moor La. Ast T —5H 33
Moor La. L Eat —5G 5 (in three parts)
Moor La. Ock —2H 15
Moor La. N. Bar T —4D 30
Moor La. S. Bar T —6D 30
Moor Rd. Bread —3C 8
Moorside Cres. Sin —1B 30
Moor St. Spon —4E 15
Moorway. Bread —3C 8
Moorway Croft. L'ver —4F 19
Moorway La. L'ver —6E 19
Moravian Settlement. Ock —4A 16
Moray Wlk. Der —1E 13
Morden Gro. Der —3E 11
Morefern Dri. Oak —5D 8
Morledge. Der —4C 12 (4D 2)
Morleston St. Der —6D 12
Morley Gdns. Oak —1B 14
Morley La. L Eat —6G 5
Morley Rd. Der —2A 14
Morley St. Der —3G 11

Morlich Dri. Sin —1A **30**
Morningside Clo. Altn —1F **31**
Mornington Cres. Der —3E **11**
Morpeth Gdns. Der —5B **8**
Mortimer St. Der —4E **21**
Mosedale Clo. Der —3H **21**
Moss St. Der —6A **12**
Mostyn Av. Der —2H **19**
Mottistone Clo. Alv —6D **22**
Moult Av. Spon —5E **15**
Mountbatten Clo. Sh L —1G **31**
Mt. Carmel St. Der —6B **12**
Mountford Clo. Oak —5F **9**
Mount St. Der —6C **12**
Mowbray Gdns. Der —4E **21**
Mowbray St. Der —3E **21**
Moy Av. Sin —3B **30**
Moyne Gdns. Chel —5A **32**
Muirfield Dri. Mick —1D **18**
Mulberries Ct. Alst —3E **7**
Mull Clo. Der —2H **29**
Mullion Pl. Alv —6B **22**
Mundy Clo. Der —3A **12**
Mundy St. Der —3A **12**
Munro Ct. Sin —1A **30**
Murray Rd. Mick —5D **10**
Murray St. Der —3H **21**
Muswell Rd. Der —3C **10**
Myers Clo. Sin —1B **30**

Nairn Av. Der —2F **13**
Nairn Clo. Sin —2H **29**
Namur Clo. Der —6G **11**
Napier Clo. Mick —5C **10**
Napier St. Der —4G **11**
Naseby Clo. Mick —6A **10**
Navigation Home Pk. Der —2G **21**
Nearwood Dri. Oak —4C **8**
Neilson St. Alv —4H **21**
Nelson Clo. Mick —6C **10**
Nelson St. Der —6E **13**
(in two parts)
Nesfield Clo. Alv —4C **22**
Ness Wlk. Alst —4E **7**
Nether Clo. Duf —1A **4**
Netherclose St. Der —2C **20**
Nether La. Holb —1G **5**
Netherside Dri. Chel —3A **32**
Netherwood Ct. Alst —4C **6**
Nevinson Av. Sun —4H **19**
Nevinson Dri. Sun —4H **19**
Nevis Clo. Sin —3H **29**
Newark Rd. Der —5B **8**
Newbold Av. Borr —2A **24**
Newbold Clo. Chel —3H **31**
Newbridge Cres. Sh L —1G **31**
Newbury St. Der —3G **21**
New Chester St. Der —1D **12**
Newdigate St. Der —3C **20**
Newel Wlk. Mick —2A **18**
Newgate Clo. Der —3B **32**
Newhaven Rd. Chad —3B **14**
New Inn La. L Eat —1A **8**
Newland St. Der —4B **12** (4B **2**)
Newlyn Dri. Der —3B **20**
Newmarket Ct. Der —3F **21**
Newmarket Dri. Der —3F **21**
Newmount Clo. L'ver —6H **19**
New Normanton Mills Ind. Est. Der
—1C **20**
Newport Ct. Alv —6C **22**
Newquay Pl. Alv —6C **22**
New Rd. Dar A —6G **7**
Newstead Av. Chad —3H **13**
New St. Der —5D **12** (5F **3**)
New St. Dray —4E **25**
(in two parts)
New St. L Eat —6F **5**
New St. Ock —5A **16**

Newton's Wlk. Der —1A **12**
New Zealand La. Duf —4B **4**
New Zealand Sq. Der —4G **11**
Nicholas Clo. Spon —3E **15**
Nicola Gdns. Der —1H **29**
Nidderdale Ct. Alv —5D **22**
Nightingale Rd. Der —4E **21**
Noble St. Der —6E **13**
Noel St. Der —3H **11**
No Man's La. Dal A & Dray
—1F **17**
Nooning La. Dray —4C **24**
Norbury Clo. Alst —6D **6**
Norbury Ct. Alst —5D **6**
Norbury Cres. L'ver —6G **19**
Norfolk Gdns. Der —1B **12**
Norfolk St. Der —1D **20**
Norman Av. Sun —4A **20**
Normanton La. L'ver —2G **19**
Normanton Rd. Der
—5C **12** (6C **2**)
Northacre Rd. Oak —5F **9**
North Av. Dar A —4G **7**
North Av. Mick —6C **10**
North Clo. Mick —6C **10**
Northfield. Sin —2H **29**
Northmead Dri. Der —6F **11**
North Pde. Der —2C **12** (1C **2**)
North Row. Dar A —6G **7**
North St. Der —2B **12**
North St. L'ver —1G **19**
Northumberland St. Der —1B **20**
(in two parts)
North View. Der —2G **19**
Northwood Av. Chad —2G **13**
Norwich St. Der —2F **13**
Norwood Clo. Der —4E **11**
Nottingham Rd. Borr —2H **23**
(in three parts)
Nottingham Rd. Der
(in four parts) —3C **12** (1D **2**)
Nottingham Rd. Spon —6D **14**
Nunsfield Dri. Alv —4B **22**
Nuns' St. Der —3A **12** (2A **2**)
Nursery Clo. Borr —1H **23**
Nutwood Clo. Dar A —4G **7**

Oadby Rise. Sun —5A **20**
Oak Clo. Alst —3E **7**
Oak Clo. Duf —3B **4**
Oak Clo. Ock —4A **16**
Oak Cres. L'ver —3G **19**
Oakdale Gdns. Der —4F **9**
Oak Dri. Alv —5A **22**
Oak Dri. Mick —1C **18**
Oakham Clo. Der —6B **8**
Oaklands Av. L'ver —5G **19**
Oaklands Rd. Etw —1B **26**
Oakleigh Av. Chad —3H **13**
Oakover Dri. Alst —4D **6**
Oakridge. Chad —2B **14**
Oak Rd. Thul —1F **33**
Oakside Way. Oak —4F **9**
Oaks, The. L Eat —6F **5**
Oak St. Der —1C **20**
Oaktree Av. Der —4D **20**
Oak Tree Ct. Borr —2B **24**
Oakvale Ho. Der —1C **20**
Oakwood. Sin —3H **29**
Oakwood Dri. Oak —5F **9**
Oakwood M. Der —5D **8**
Offerton Av. Der —3A **20**
Old Barn Clo. L Eat —6F **5**
Oldbury Clo. Oak —5E **9**
Old Chester Rd. Der —1C **12**
Old Chu. Clo. Quar —2C **6**
Oldfield La. Etw —5A **26**
Old Hall Av. Alv —4B **22**
Old Hall Av. Duf —3A **4**

Old Hall Av. L'ver —2F **19**
Old Hall Rd. L'ver —2G **19**
Old La. Dar A —5G **7**
Old Mansfield Rd. Der —6A **8**
Old Mill Clo. Duf —3B **4**
Old Vicarage Clo. L'ver —2G **19**
Old Vicarage La. Quar —2C **6**
Olive Gro. Chad —5H **13**
Olive St. Der —5A **12**
Olivier St. Der —2D **20**
Olton Rd. Mick —5A **10**
Onslow Rd. Mick —5B **10**
Opal Clo. Oak —5E **9**
Orchard Clo. Bo M —1D **32**
Orchard Clo. Bread —3B **8**
Orchard Clo. L'ver —4G **19**
Orchard Clo. Ock —5A **16**
Orchard Cotts. Duf —2B **4**
Orchard Ct. Spon —4E **15**
Orchards, The. Alst —4D **6**
Orchard St. Der —3B **12** (2B **2**)
Orchard St. Mick —2B **18**
Orchard Way. Chel —3H **31**
Ordish Av. Chad —4H **13**
Oregon Way. Chad —2B **14**
Oriel Ct. Der —6D **12**
Orkney Clo. Sin —2H **29**
Ormskirk Rise. Spon —5F **15**
Osmaston Pk. Ind. Est. Der
—2G **21**
Osmaston Pk. Rd. Der —4C **20**
Osmaston Rd. Der —5C **12** (5D **2**)
Osnabruck Sq. Der
—4C **12** (4D **2**)
Osprey Clo. Sin —3A **30**
Osterley Grn. Der —4E **11**
Oswestry Clo. Oak —4F **9**
Otterburn Dri. Alst —5C **6**
Otter St. Der —2C **12**
Oulton Clo. Sh L —1F **31**
Outram Way. Sin —3A **30**
Oval Ct. L'ver —3G **19**
Overdale Rd. Der —1A **20**
Owlers La. L'ver —1F **19**
Owlswick Clo. L'ver —3E **19**
Oxenhope Clo. L'ver —4C **18**
Oxford St. Der —6D **12**
Oxford St. Spon —4E **15**
Oxton Way. Sin —3B **30**
Oxwich Ct. Oak —4F **9**

Paddock Croft. Oak —5C **8**
Paddocks, The. Ock —5A **16**
Padley Clo. Alst —2G **7**
Padstow Clo. Sin —2H **29**
Padstow Rd. Alv —6C **22**
Palatine Gro. L'ver —4D **18**
Pall Mall Cotts. Bread —3C **8**
Palm Clo. L'ver —2E **19**
Palmerston St. Der —2A **20**
Parade, The. Mick —2B **18**
Parcel Ter. Der —4H **11**
Pares Way. Ock —4A **16**
Park Clo. L Eat —6E **5**
Park Dri. L'ver —2C **18**
Parker Clo. Der —3B **12** (1B **2**)
Parker Ind. Est. Der —1D **12**
Parker St. Der —2B **12** (1A **2**)
Park Farm Cen. Alst —5D **6**
Park Farm Dri. Alst —5D **6**
Parkfields Dri. Der —1A **12**
Park Gro. Der —2A **12**
Park Hill Dri. Der —4H **11**
Parkland Dri. Chel —5A **32**
Park La. Alst —3F **7**
Park La. L'ver —2C **18**
Park Leys Ct. Spon —5E **15**
Park Rd. Duf —3A **4**
Park Rd. Mick —1B **18**
Park Rd. Spon —4D **14**

Parkside Rd. Chad —4A **14**
Parkstone Ct. Mick —2A **18**
Park St. Der —5D **12** (6F **3**)
Park View. L Eat —6F **5**
Park View Clo. Alst —3F **7**
Park View Ho. Der —3E **13** (2H **3**)
Parkway. Chel —4G **31**
Park Way. Etw —1C **26**
Parliament Clo. Der —5A **12**
Parliament St. Der —5A **12** (6A **2**)
(in two parts)
Parliament St. Mills. Der —5A **12**
Partridge Way. Mick —6E **11**
Parwich Cotts. Der —1C **20**
Pastures Av. L'ver —3E **19**
Pastures Hill. L'ver —3E **19**
Pastures, The. Duf —2B **4**
Paterson Av. Chad —3B **14**
Patmore Sq. Der —4B **20**
Patten Ct. Sin —6C **20**
Pavilion Rd. L'ver —3G **19**
Paxton Clo. Mick —2A **18**
Payne St. Der —3H **11**
Paytons Rd. Der —6D **12**
Peach St. Der —4H **11**
Peak Dri. Der —4D **20**
Peak Pk. Der —4D **20**
Pearl Clo. Oak —5E **9**
Peartree Ct. Der —6B **8**
Pear Tree Cres. Der —3C **20**
Pear Tree Ind. Est. Der —3D **20**
Pear Tree Rd. Der —1C **20**
Pear Tree St. Der —3C **20**
Peckham Gdns. Der —4E **11**
Peebles Clo. Sin —3A **30**
Peel St. Der —3H **11**
Peers Clo. Oak —5F **9**
Peet St. Der —5A **12**
Peggs Wlk. Der —4A **20**
Pegwell Clo. Sun —4H **19**
Pelham St. Der —5B **12** (6A **2**)
Pembroke St. Der —2F **13**
Penalton Clo. Altn —5G **21**
Pendennis Clo. Alv —5B **22**
Pendlebury Dri. Mick —2C **18**
(in two parts)
Pendleside Way. L'ver —4C **18**
Penge Rd. Der —2E **11**
Penhalligan's Clo. Chel —4H **31**
Penhaligan's Wlk. Chel —3H **31**
Pennycress Clo. L'ver —4E **19**
Penny Long La. Der —1A **12**
Penrhyn Av. Der —3H **19**
Penrith Pl. Der —5B **8**
Pentagon, The. Der
—3E **13** (2H **3**)
Pentewan Clo. Dar A —5E **7**
Pentland Clo. Oak —5E **9**
Penzance Rd. Alv —6B **22**
Percy St. Der —6A **12**
Peregrine Clo. Sin —1H **29**
Perth Clo. Mick —5C **10**
Perth St. Der —6B **8**
Peterborough St. Der —1G **13**
Peterhouse Ter. Der —1C **20**
Peterlee Pl. Alv —6A **22**
Petersham Dri. Alv —5C **22**
Peveril Av. Borr —1A **24**
Peveril St. Der —5F **21**
Pheasant Field Dri. Spon —3G **15**
Philips Croft. Duf —2B **4**
Phoenix St. Der —3C **12** (2D **2**)
Pickering Rise. Der —6A **8**
Pilgrims Way. Sin —2G **29**
Pillar Ct. Mick —2C **18**
Pimlico. Der —3F **11**
Pine Clo. Chad —5B **14**
Pine Clo. Etw —1C **26**
Pinecroft Ct. Oak —6F **9**
Pinfold, The. Thul —1F **33**
Pingle. Alst —3E **7**

Pingle, The. Spon —5F **15**
Pintail Dri. Sin —1H **29**
Pit Clo. La. Chel —4A **32**
Pittar St. Der —6B **12**
Plackett Clo. Breas —3H **25**
Plimsoll Ct. Der —6B **12**
Plimsoll St. Der —3G **11**
Ploughfield Clo. L'ver —5F **19**
Ploughgate. Dar A —5F **7**
Pollards Oaks. Borr —2A **24**
Ponsonby Ter. Der —4A **12**
Pontefract St. Der —4F **21**
Pontypool Clo. Oak —5F **9**
Pool Clo. Bo M —1C **32**
Poole St. Altn —5G **21**
Poplar Av. Spon —4E **15**
Poplar Clo. Alv —4B **22**
Poplar Nook. Der —3F **7**
Poplar Row. Dar A —6G **7**
Poplars, The. Alst —3F **7**
Porlock Ct. Oak —5E **9**
Porter Rd. Der —2A **20**
Porters La. Find —3A **28**
(in two parts)
Porter's La. Oak —5D **8**
Porthcawl Pl. Oak —5G **9**
Portland Clo. Mick —1B **18**
Portland St. Der —2C **20**
Portman Chase. Sin —3H **29**
Portreath Dri. Alst —3E **7**
Port Way. Holb & Cox —1F **5**
Portway Clo. Alst —3G **7**
Potato Pit La. Ilk —1E **17**
Potter St. Spon —5D **14**
Powell St. Der —1A **20**
Poyser Av. Chad —2A **14**
Prescot Clo. Mick —2A **18**
Prestbury Clo. Oak —6E **9**
Priestland Av. Spon —5D **14**
Prime Enterprise Pk. Der
—3D **12** (1E **3**)
Primrose Clo. Oak —4D **8**
Primula Way. Der —1H **29**
Prince Charles Av. Der —3D **10**
Princes Dri. L'ver —1F **19**
Princess Alice Ct. Der
—3B **12** (2A **2**)
Princess Dri. Borr —1G **23**
Prince's St. Der —2C **20**
Priors Barn Clo. Borr —1B **24**
Priorway Av. Borr —2A **24**
Priorway Gdns. Borr —2A **24**
Priory Clo. Chel —5A **32**
Pritchett Dri. L'ver —3C **18**
Provident St. Der —1B **20**
Pulborough Gdns. L'ver —5E **19**
Pullman Rd. Der —5H **13**
Putney Clo. Der —4C **10**
Pybus St. Der —3H **11**
Pykestone Clo. Oak —5D **8**

Quantock Clo. Sin —3H **29**
Quarndon Heights. Alst —5C **6**
Quarndon View. Alst —5C **6**
Quarn Dri. Alst —4C **6**
Quarn Gdns. Der —2B **12**
Quarn St. Der —3B **12** (1A **2**)
(in two parts)
Quarn Way. Der —3B **12** (1A **2**)
Queen Mary Ct. Der —2B **12**
Queens Ct. Der —1A **12**
Queens Ct. Dray —4E **25**
Queens Dri. L'ver —1G **19**
Queensferry Gdns. Altn —1F **31**
Queensland Clo. Mick —5C **10**
Queen St. Der —3C **12** (2C **2**)
Queensway. Der —2H **11**
Quick Hill Rd. Sin —3H **29**
Quillings Way. Borr —2B **24**
Quorn Rise. Sun —5A **20**

Rabown Av. L'ver —3H **19**
Racecourse Pk. Ind. Est. Der
—1E **13**
Radbourne La. Kirk L & Der
—4A **10**
Radbourne St. Der —3G **11**
Radcliffe Av. Chad —2H **13**
Radcliffe Dri. Der —6H **11**
Radford St. Alv —4H **21**
Radnor St. Der —1F **13**
Radstock Gdns. Der —6C **8**
Radstone Clo. Oak —5F **9**
Raglan Av. Der —4G **11**
Railway Ter. Der —5E **13** (6G **3**)
Rainham Gdns. Alv —6A **22**
Rainier Dri. Chad —3A **14**
Raleigh St. Der —3G **11**
Ramblers Dri. Oak —4G **9**
Ramsdean Clo. Der —1F **13**
Ramshaw Way. Der —5A **12**
Randolph Rd. Der —3B **20**
Ranelagh Gdns. Der —2F **11**
Rangemore Clo. Mick —5C **10**
Rannoch Clo. Alst —4E **7**
Rannoch Clo. Spon —4F **15**
Ranworth Clo. Der —2F **31**
Rauche Ct. Der —6D **12**
Ravenscourt Rd. Der —2G **11**
Ravenscroft Dri. Chad —3H **13**
Ravensdale Rd. Alst —4C **6**
Raven St. Der —6A **12**
Rawdon St. Der —1B **20**
Rawlinson Av. Der —4C **20**
Raynesway. Der —3B **22**
Raynesway Pk. Der —2B **22**
Raynesway Pk. Dri. Der —2B **22**
Raynesway View. Der —5A **14**
Reader St. Spon —4E **15**
Rebecca Clo. Der —4A **12**
Rebecca Ho. Der —4A **12**
Rectory La. Bread —2B **8**
Reculver Clo. Sun —4H **19**
Redbury Clo. Der —5A **12**
Redcar Gdns. Der —6B **8**
Redland Clo. Sin —1B **30**
Redmires Dri. Der —3A **32**
Redruth Pl. Alv —6C **22**
Redshaw St. Der —2A **12**
Redstart Clo. Spon —3F **15**
Redwing Croft. Der —4H **19**
Redwood Rd. Sin —2A **30**
Reeves Rd. Der —2D **20**
Regency Clo. L'ver —4H **19**
Regent St. Der —6D **12**
Reginald Rd. N. Chad —2H **13**
Reginald Rd. S. Der —3H **13**
Reginald St. Der —1D **20**
Regis Clo. Oak —5F **9**
Reigate Dri. Der —2D **10**
Renals St. Der —6C **12**
Renfrew St. Der —2G **13**
Repton Av. Der —2H **19**
Retford Clo. Der —5B **8**
Ribblesdale Clo. Alst —5C **6**
Richardson St. Der —3H **11**
Richmond Av. L'ver —3G **19**
Richmond Dri. Duf —1A **4**
Richmond Rd. Chad —3H **13**
Richmond Rd. Der —2C **20**
Riddings. Alst —3E **7**
Riddings St. Der —6B **12**
Ridgeway. Chel —5A **32**
Ridgeway Av. L'ver —5G **19**
Ridgewood Ct. Oak —5C **8**
Ridings, The. Ock —4B **16**
Rigga La. Duf & L Eat —4D **4**
Rigsby Ct. Mick —6A **10**
Rimsdale Clo. Sin —1A **30**
Ringwood Clo. Chad —1G **13**
Ripley Ho. Spon —6E **15**

Ripon Cres. Chad —1G **13**
Rise, The. Dar A —5E **7**
Risley La. Breas —6H **17**
Rivenhall Clo. L'ver —4D **18**
River Pk. Wlk. Der —2A **22**
River St. Der —3C **12** (1C **2**)
Robert St. Der —3D **12** (2E **3**)
Robin Croft Rd. Alst —3E **7**
Robinia Clo. Oak —4G **9**
Robin Rd. Der —2B **12**
Robinscross. Borr —2H **23**
Robinsons Ind. Est. Der —1D **20**
Robson Clo. Alv —4A **22**
Rochester Clo. Alv —6A **22**
Rochley Clo. Oak —5D **8**
Rockbourne Clo. Alv —5D **22**
Rockhouse Rd. Alv —5A **22**
Rockingham Clo. Alst —3G **7**
Rodney Ho. Der —5G **21**
Rodney Wlk. L'ver —4C **18**
Rodsley Cres. L'ver —6G **19**
Roe Farm La. Der —2G **13**
Roehampton Dri. Der —2E **11**
Roe Wlk. Der —1C **20**
Roman Rd. Der —2D **12**
Romsley Clo. Mick —5B **10**
Rona Clo. Sin —1A **30**
Ronald Clo. L'ver —4C **18**
Roosevelt Av. Chad —3B **14**
Rosamond's Ride. Der —3H **19**
Rose Av. Borr —2A **24**
Roseberry Ct. Oak —6F **9**
Rosedale Av. Alv —5A **22**
Roseheath Clo. Sun —6A **20**
Rose Hill St. Der —1C **20**
Rosemary Dri. Alv —6A **22**
Rosemoor La. Oak —6F **9**
Rosemount Ct. Alst —4C **6**
Rosengrave St. Der
—5B **12** (6B **2**)
Rosette Ct. Oak —4G **9**
Rosewood Clo. Alv —4C **22**
Rossington Dri. L'ver —5D **18**
Rosslyn Gdns. Alv —5A **22**
Ross Wlk. Der —6B **8**
Rothbury Pl. Der —6C **8**
Rothesay Clo. Sin —1A **30**
Rothwell Rd. Mick —6B **10**
Rough Heanor Rd. Mick —6E **11**
Roughton Clo. Mick —3B **18**
Rowan Clo. Chad —4B **14**
Rowan Clo. Sin —2H **29**
Rowan Pk. Clo. Der —4H **19**
Rowditch Av. Der —5H **11**
Rowditch Pl. Der —5H **11**
Rowena Clo. Alv —4H **21**
Rowland St. Altn —5G **21**
Rowley Gdns. L'ver —4G **19**
Rowley La. L'ver —4G **19**
Rowsley Av. Der —3H **19**
Roxburgh Av. Chad —2G **13**
Royal Clo. Borr —2H **23**
Royal Gro. Oak —4H **9**
Royal Hill Rd. Spon —3D **14**
(in two parts)
Roydon Clo. Mick —5A **10**
Rudyard Av. Spon —4E **15**
Rugby St. Der —2G **21**
Rupert Rd. Der —2A **14**
Rushcliffe Av. Chad —3H **13**
Rushcliffe Gdns. Chad —3H **13**
Rushdale Av. L'ver —5H **19**
Rushup Clo. Alst —2G **7**
Ruskin Rd. Der —2B **12**
Ruskin Way. L'ver —3F **19**
Russell St. Der —2E **21**
Russet Clo. Oak —6F **9**
Rutherford Rise. Oak —5D **8**
Rutland Av. Borr —1A **24**
Rutland Dri. Mick —6C **10**
Rutland St. Der —2C **20**

Ryal Clo. Ock —4A **16**
Ryan Clo. Sin —2A **30**
Rydal Clo. Alst —3E **7**
Ryde Ho. Alv —4C **22**
Rye Butts. Chel —4G **31**
Rye Clo. Oak —4C **8**
Ryecroft Rd. Cas D —6H **35**
Ryedale Gdns. L'ver —6G **19**
Ryegrass Rd. Oak —5G **9**
Rykneld Clo. L'ver —5C **18**
Rykneld Dri. L'ver —4D **18**
Rykneld Ho. Mick —6G **11**
Rykneld Rd. Mick & L'ver —6C **18**
Rykneld Way. L'ver —5C **18**
Rymill Dri. Oak —6D **8**

Sacheverel St. Der
—5C **12** (6C **2**)
Sackville St. Der —3B **20**
Saddleworth Wlk. Sh L —2G **31**
Sadler Ga. Der —4C **12** (3C **2**)
Sadler Ga. Der —4C **12** (3C **2**)
Saffron Dri. Oak —6E **9**
St Agnes Av. Alst —3E **7**
St Alban's Rd. Der —6G **11**
St Alkmunds Clo. Duf —2B **4**
St Alkmund's Way. Der
—3B **12** (2B **2**)
St Andrews Ho. Der —6E **13**
St Andrew's View. Der —1G **13**
St Anne's Clo. Der —3A **12**
St Augustine St. Der —2B **20**
St Bride's Wlk. Der —3F **11**
St Chads Clo. Dray —4E **25**
St Chad's Rd. Der —1A **20**
St Clare's Clo. Der —1H **19**
St Cuthbert's Rd. Der —6G **11**
St David's Clo. Der —6H **11**
St Edmunds Clo. Alst —3F **7**
St Giles Rd. Der —2B **20**
St Helen's St. Der —3B **12** (2B **2**)
St Hugh's Clo. Dar A —5F **7**
St James Ct. Der —4A **12**
St James Rd. Der —2B **20**
St James's St. Der —4C **12** (4C **2**)
St John's Av. Chad —4B **14**
St John's Clo. Alst —4D **6**
St John's Dri. Chad —4A **14**
St John's Ter. Der —3B **12** (2A **2**)
St Mark's Rd. Der —2F **13**
St Mary's Av. Dray —4E **25**
St Mary's Bri. Der —3C **12** (1D **2**)
St Mary's Clo. Alv —5A **22**
St Mary's Ct. Der —3C **12** (1C **2**)
St Mary's Ga. Der —4C **12** (3C **2**)
St Mary's M. Der —3C **12** (1C **2**)
St Mary's Wharf Rd. Der —2D **12**
St Matthew's Wlk. Dar A —5F **7**
St Mawes Clo. Alst —3D **6**
St Mellion Clo. Mick —2D **18**
St Michael's Clo. Alv —4C **22**
St Michaels La. Der
—3C **12** (2C **2**)
St Michaels View. Alv —4C **22**
(off Branksome Av.)
St Nicholas Clo. Alst —5D **6**
St Pancras Way. Der
—2D **12** (1E **3**)
St Paul's Rd. Der —2C **12**
St Peter's Chyd. Der
—4C **12** (4C **2**)
St Peter's Rd. Chel —4A **32**
St Peter's St. Der —4C **12** (4D **2**)
St Peter's Way. Der
—5C **12** (5D **2**)
St Quentin Clo. Mick —6G **11**
St Ronan's Av. Duf —3B **4**
St Stephens Clo. Borr —2H **23**
St Stephen's Clo. Sun —1H **19**
St Swithin's Clo. Der —6H **11**

St Thomas Rd. Der —3C **20**
St Werburgh's Chyd. Der —3B **2**
St Werburghs Cloisters. Der
—3B **2**
St Werburgh's View. Spon
—4D **14**
St Wystan's Rd. Der —6G **11**
Sale St. Der —1D **20**
Salisbury St. Der —6C **12**
Sallywood Clo. Sin —3H **29**
Saltburn Clo. Der —6A **8**
Samantha Ct. Oak —6F **9**
Sancroft Ct. L'ver —4F **19**
Sancroft Rd. Spon —3E **15**
Sandalwood Clo. Alv —4C **22**
Sandbach Clo. Oak —6E **9**
Sanderson Rd. Chad —3B **14**
Sandfield Clo. Oak —6F **9**
Sandgate Clo. Alv —5A **22**
Sandown Av. Mick —6A **10**
Sandown Rd. Der —3F **21**
Sandringham Dri. Spon —5F **15**
Sandringham Rd. Der —6C **8**
Sandyhill Clo. Chel —3A **32**
Sandypits La. Etw —1C **26**
Santolina Dri. Oak —6D **8**
Sapperton Clo. L'ver —6H **19**
Saundersfoot Way. Oak —5F **9**
Save Penny La. Duf —2D **4**
Sawley Rd. Breas —4H **25**
Sawley Rd. Dray —4F **25**
Saxondale Av. Mick —5A **10**
Scarborough Rise. Der —6A **8**
Scarcliffe Clo. Sh L —2G **31**
Scarsdale Av. Alst —4C **6**
Scarsdale Av. L'ver —1G **19**
Scarsdale Rd. Duf —3B **4**
School La. Chel —4A **32**
Scott St. Der —2B **20**
Scropton Wlk. Sh L —2G **31**
Seagrave Clo. Oak —1B **14**
Seale St. Der —2C **12**
Searl St. Der —3B **12** (2A **2**)
Seascale Clo. Der —6B **8**
Seaton Clo. Mick —6A **10**
Second Av. Chel —5A **32**
Sedgebrook Clo. Oak —5D **8**
Sedgefield Grn. Mick —2A **18**
Sefton Rd. Chad —3H **13**
Selbourne St. Der —1F **21**
Selkirk St. Der —2G **13**
Selwyn St. Der —3G **11**
Serina Av. Der —3H **19**
Settlement, The. Ock —4A **16**
Sevenlands Dri. Bo M —1C **32**
Sevenoaks Av. Der —4D **10**
Severn St. Der —3H **21**
Severnvale Clo. Alst —2H **7**
Seymour Clo. Der —3G **11**
Shacklecross Clo. Borr —2A **24**
Shaftesbury Cres. Der —2D **20**
Shaftesbury St. Der —2E **21**
Shaftesbury St. S. Der —3D **20**
Shakespeare St. Sin —6B **20**
Shaldon Dri. L'ver —2H **19**
Shalfleet Dri. Alv —5C **22**
Shamrock St. Der —2A **20**
Shandwick St. Sin —2H **29**
Shanklin Ho. Alv —4C **22**
Shannon Clo. Sun —5H **19**
Shannon Sq. Chad —5B **14**
Shardlow Rd. Alv —4B **22**
Shardlow Rd. Ast T —6H **33**
Shaws Grn. Der —3H **11**
Shaw St. Der —3A **12**
Shearwater Clo. Der —4H **19**
Sheffield Pl. Der —5E **13** (6G **3**)
Sheldon Ct. Sh L —2G **31**
Shelford Clo. Mick —6A **10**
Shelley Dri. Sin —6C **20**

Shelmory Clo. Altn —6G **21**
Shelton Dri. Sh L —2G **31**
Shelton Lock Mobile Homes Pk.
Sh L —2F **31**
Shenington Way. Oak —5F **9**
Shepherd St. L'ver —2G **19**
Sheridan St. Sin —6B **20**
Sherston Clo. Oak —5F **9**
Sherwin St. Der —1A **12**
Sherwood Av. Borr —1B **24**
Sherwood Av. Chad —2H **13**
Sherwood Av. L'ver —6H **19**
Sherwood St. Der —6A **12**
Shetland Clo. Der —2E **13**
Shipley Wlk. Sh L —2G **31**
Shireoaks Clo. L'ver —4G **19**
Shirland Ct. Sh L —2G **31**
Shirley Rd. Chad —6C **8**
Shop Stones. Ock —4A **16**
Short Av. Alst —2F **7**
Shorwell Gdns. Alv —6C **22**
Shottle Wlk. Sh L —2F **31**
Shrewsbury Clo. Oak —5F **9**
Shropshire Av. Der —2G **13**
Siddals La. Alst —3F **7**
Siddals Rd. Der —4D **12** (4F **3**)
Siddons St. Alv —4A **22**
Sidings, The. Der —5A **14**
Sidmouth Clo. Alv —4C **22**
Sidney Ho. Der —2G **19**
Sidney St. Der —6D **12**
Silverburn Dri. Oak —5D **8**
Silver Hill Rd. Der —1C **20**
Silverhill Rd. Spon —6E **15**
Silver La. Elv —6F **23**
Silverton Av. Sin —3G **29**
Silvey Gro. Spon —5D **14**
Simcoe Leys. Chel —3H **31**
Simpson St. Altn —5G **21**
Sims Av. Der —4A **12**
Sinclair Clo. Sin —1A **30**
Sinfin Av. Sh L —1F **31**
Sinfin District Cen. Sin —2A **30**
Sinfin Fields Cres. Altn —6F **21**
Sinfin La. Bar T —6C **30**
Sinfin La. Sin & Derb —1B **30**
Sinfin Moor La. Sin —2B **30**
(in two parts)
Sir Francis Ley Ind. Est. Der
—2D **20**
Sir Frank Whittle Rd. Der
—1E **13** (2G **3**)
Siskin Dri. Sin —1H **29**
Sisters La. Ock —4A **16**
Sitwell Clo. Spon —5D **14**
Sitwell St. Der —5C **12** (5D **2**)
Sitwell St. Spon —5D **14**
Skiddaw Dri. Mick —2C **18**
Skipton Grn. Der —6A **8**
Skylark Way. Sin —1H **29**
Slack La. Dar A —5E **7**
Slack La. Der —4H **11**
Slade Clo. Etw —1C **26**
Slaidburn Clo. Mick —2C **18**
Slaney Clo. Altn —4G **21**
Slater Av. Der —4A **12**
Sledmere Clo. Alv —4C **22**
Slindon Croft. Alv —5D **22**
Sloane Rd. Der —3E **11**
Smalley Dri. Oak —4F **9**
Small Meer Clo. Chel —4G **31**
Smisby Way. Sh L —2G **31**
Snake La. Duf —2A **4**
Snelsmoor La. Chel —3B **32**
Snelston Cres. L'ver —1G **19**
Society Pl. Der —1C **20**
Solway Clo. Oak —5B **8**
Somerby Way. Oak —5D **8**
Somersal Clo. Sh L —2F **31**
Somerset St. Der —2F **13**
Somme Rd. Alst —4B **6**

South Av. Chel —2H **31**
South Av. Dar A —4G **7**
South Av. L'ver —2H **19**
South Av. Spon —5E **15**
S. Brae Clo. L'ver —4H **19**
South Ct. Mick —2B **18**
Southcroft. L'ver —6H **19**
S. Down Clo. Sin —3G **29**
South Dri. Chad —4A **14**
South Dri. Chel —2H **31**
South Dri. Der —2B **12**
South Dri. Mick —1E **19**
Southgate Clo. Mick —6A **10**
Southmead Way. Der —6F **11**
South St. Der —4A **12**
South St. Dray —4E **25**
South View. Der —2G **19**
Southwark Clo. Der —4F **11**
Southwood St. Der —3H **21**
Sovereign Way. Oak —4G **9**
Sowter Rd. Der —3C **12** (2D **2**)
Spa La. Der —6B **12** (6B **2**)
Sparrow Clo. Sin —1H **29**
Speedwell Clo. Oak —4G **9**
Spenbeck Dri. Alst —2G **7**
Spencer Av. Altn —1F **31**
Spencer St. Der —3A **22**
Spindletree Dri. Oak —5C **8**
Spinney Clo. Dar A —5G **7**
Spinney Rd. Chad —2H **13**
Spinney Rd. Der —6A **12**
Spinney, The. Der —2A **24**
Spoonley Wood Ct. L'ver —4D **18**
Spot, The. Der —5C **12** (5D **2**)
Spring Clo. Breas —3G **25**
Springdale Ct. Mick —2C **18**
Springfield. L'ver —1F **19**
Springfield Dri. Duf —3A **4**
Springfield Rd. Chad —4B **14**
Springfield Rd. Chel —3G **31**
Springfield Rd. Etw —2B **26**
Spring Gdns. Chad —2H **13**
Spring St. Der —5B **12** (6A **2**)
Springwood Dri. Oak —5E **9**
Square, The. Mick —2B **18**
Squires Way. L'ver —4E **19**
Stables St. Der —4H **11**
Stadmoor Ct. Chel —4H **31**
Stafford St. Der —4B **12** (4A **2**)
Staines Clo. Mick —1A **18**
Staithes Wlk. Der —6A **8**
Staker La. Mick —6B **18**
Staker Way. Mick —4B **18**
Stamford St. Altn —5F **21**
Stanage Grn. Mick —1D **18**
Stanhope Rd. Mick —6C **10**
Stanhope St. Der —1B **20**
Stanier Way. Der —6A **14**
Stanley Clo. Der —1B **12**
Stanley Rd. Alv —5H **21**
Stanley Rd. Chad —4A **14**
Stanley St. Der —4H **11**
Stanstead Rd. Mick —5A **10**
Stanton St. Der —2B **20**
Starcross Ct. Mick —6A **10**
Statham St. Der —2A **12**
Station App. Der —5E **13** (5G **3**)
Station App. Duf —2C **4**
Station Clo. Chel —4H **31**
Station Rd. Borr —2H **23**
Station Rd. Bread —3B **8**
Station Rd. Cas D —6F **35**
Station Rd. Chel —4H **31**
Station Rd. Dray —4F **25**
Station Rd. Duf —2C **4**
Station Rd. L Eat —6F **5**
Station Rd. Mick —1B **18**
Station Rd. Spon —6D **14**
Staunton Av. Sun —5A **20**
Staveley Clo. Sh L —2G **31**
Staverton Dri. Mick —5B **10**

Steeple Clo. Oak —5C **8**
Stenson Av. Sun —5A **20**
Stenson Rd. Sin & Derb —4F **29**
Stephensons Way. Der —6A **14**
Stepping Clo. Der —4A **12**
Stepping La. Der —4H **11**
Sterndale Ho. Der —5C **12** (5C **2**)
Stevenage Clo. Alv —6H **21**
Steven's La. Breas —3H **25**
Stevenson Av. Breas —3F **25**
Stevenson Pl. L'ver —3F **19**
Stewart Clo. Spon —3E **15**
Stiles Rd. Alv —4B **22**
Stiles Wlk. Duf —2C **4**
Stirling Clo. Der —1E **13**
Stockbrook Rd. Der —6H **11**
Stockbrook St. Der —5A **12** (6A **2**)
Stocker Av. Alv —4C **22**
Stonebroom Wlk. Sh L —2G **31**
Stonechat Clo. Mick —1E **19**
Stone Clo. Spon —3E **15**
Stonehill Rd. Der —6B **12**
Stonesby Clo. Oak —5D **8**
Stonesdale Ct. Alv —5C **22**
Stoney Cross. Spon —6E **15**
Stoney Flatts Cres. Chad —1A **14**
Stoneyhurst Ct. Sh L —2G **31**
Stoney La. Spon —4E **15**
Stoodley Pike Gdns. Alst —5C **6**
Stores Rd. Der —1D **12** (2G **3**)
Stornoway Clo. Sin —2H **29**
Stourport Dri. Chel —2A **32**
Stowmarket Dri. Der —6B **8**
Strand. Der —4C **12** (3C **2**)
Strand Arc. Der —4C **12** (3C **2**)
Stratford Rd. Der —5B **8**
Strathaven Ct. Spon —4E **15**
Strathmore Av. Alv —5H **21**
Streatham Rd. Der —3E **11**
Stretton Clo. Mick —2B **18**
Stroma Clo. Sin —1B **30**
Strutt St. Der —1C **20**
Stuart St. Der —3C **12** (2D **2**)
Sturges La. Thul —1F **33**
Sudbury Clo. Der —4A **12**
Sudbury St. Der —4A **12**
Suffolk Av. Der —2G **13**
Summerbrook Ct. Der
—5A **12** (6A **2**)
Summer Wood Ct. Der —4H **19**
Sunart Clo. Sin —3B **30**
Sundew Clo. Spon —5F **15**
Sundown Av. L'ver —5H **19**
Sunningdale Av. Spon —4D **14**
Sunny Gro. Chad —4A **14**
Sunnyhill Av. Der —5A **20**
Sun St. Der —5B **12** (6A **2**)
Surbiton Clo. Der —3E **11**
Surrey St. Der —3H **11**
Sussex Cir. Der —1G **13**
Sutherland Rd. Der —2B **20**
Sutton Av. Chel —2H **31**
Sutton Clo. Der —3H **11**
Sutton Dri. Sh L —1G **31**
Sutton Rd. Alv —6C **22**
Swaledale Ct. Alv —5C **22**
Swallow Clo. Mick —1E **19**
Swallowdale Rd. Sin —1H **29**
Swanmore Rd. L'ver —3E **19**
Swanwick Gdns. Chad —6D **8**
Swarkestone Dri. L'ver —6G **19**
Swarkestone Rd. Chel —4H **31**
Swayfield Clo. Mick —1A **18**
Sweetbriar Clo. Alv —6A **22**
Swift Clo. Mick —6E **11**
Swinburne St. Der —6C **12**
Swinderby Dri. Oak —6F **9**
Swinscoe Ho. Der —5B **12** (5C **2**)
Sycamore Av. Alst —4D **6**
Sycamore Av. Find —3B **28**
Sycamore Clo. Etw —1C **26**

Sycamore Ct. Spon —4E **15**
Sydenham Rd. Der —2E **11**
Sydney Clo. Mick —6D **10**
Sydney Rd. Dray —4E **25**
Syrett Vs. Der —5B **12** (5B **2**)

Taddington Clo. Chad —1G **13**
Taddington Rd. Chad —6C **8**
Talbot St. Der —4B **12** (4A **2**)
Talgarth Clo. Oak —5G **9**
Tamar Av. Alst —3D **6**
Tamworth Rise. Duf —2B **4**
Tamworth Rd. Cas D & Shard
(in two parts) —6G **35**
Tamworth St. Duf —2B **4**
Tansley Rise. Chad —6D **8**
Taplow Clo. Mick —1A **18**
Tarina Clo. Chel —4A **32**
Tasman Clo. Mick —6D **10**
Taunton Clo. Alv —4C **22**
Taverners Cres. L'ver —3G **19**
Tavistock Clo. Sin —2H **29**
Tawny Way. L'ver —4E **19**
Tay Clo. Sin —3H **29**
Taylor St. Der —1F **21**
Taylor Ter. Find —4B **28**
Tayside Clo. Sin —2H **29**
Tay Wlk. Alst —4E **7**
Tedworth Av. Sin —3H **29**
Telford Clo. Mick —2C **18**
Templar Clo. Sin —3A **30**
(Outram Way)
Templar Clo. Sin —2G **29**
(Pilgrims Way)
Temple St. Der —6B **12**
Tenant St. Der —4C **12** (3D **2**)
Tennessee Rd. Chad —2A **14**
Tennyson St. Der —4F **21**
Terry Pl. Alv —5H **21**
Teviot Pl. Oak —5E **9**
Tewkesbury Cres. Der —1F **13**
Thackeray St. Sin —6C **20**
Thames Clo. Der —4D **10**
Thanet Dri. Alv —5A **22**
Theatre Wlk. Der —4D **12** (4E **3**)
Thirlmere Av. Alst —4E **7**
Thirsk Pl. Der —4F **21**
Thistledown Clo. Dar A —5G **7**
Thoresby Clo. Oak —6F **9**
Thoresby Cres. Dray —4D **24**
Thorn Clo. Alst —3D **6**
Thorndike Av. Alv —4H **21**
Thorndon Clo. Mick —3B **18**
Thorness Clo. Alv —6C **22**
Thornhill Rd. Der —5G **11**
Thornhill Rd. L'ver —2G **19**
Thorn St. Der —1B **20**
Thorntree La. Der —4C **12** (4D **2**)
Thorpe Dri. Mick —6C **10**
Thorpelands Dri. Alst —6E **7**
Thrushton Clo. Find —4A **28**
Thruxton Clo. Alv —5C **22**
Thurcroft Clo. Der —3G **11**
Thurlow Ct. Oak —6E **9**
Thurstone Furlong. Chel —3G **31**
Thyme Clo. Der —6H **19**
Tiber Clo. Alv —6D **22**
Tickham Av. Sin —3H **29**
Ticknall Wlk. Sun —5A **30**
Tideswell Rd. Chad —6D **8**
Tilbury Pl. Alv —6A **22**
Timbersbrook Clo. Oak —6E **9**
Timsbury Ct. Oak —5C **8**
Tintagel Clo. Der —1D **20**
Tiree Clo. Sin —1B **30**
Tissington Dri. Oak —4F **9**
Tiverton Clo. Mick —5B **10**
Tivoli Gdns. Der —2A **12**
Toad La. Der —4G **5**

Tobermory Way. Sin —2H **29**
Tomlinson Ct. Der —4H **21**
Tomlinson Ind. Est. Der —5A **8**
Tonbridge Dri. Alv —6A **22**
Topley Gdns. Chad —5D **8**
Top Mnr. Clo. Ock —4A **16**
Torridon Clo. Sin —1A **30**
Tower St. Der —4F **21**
Towle Clo. Borr —2H **23**
Town End Rd. Dray —4F **25**
Townsend Gro. Chel —3A **32**
Town St. Duf —3B **4**
Town, The. L Eat —6F **5**
Traffic St. Der —5D **12** (5E **3**)
Trafford Way. L'ver —3G **19**
Tredegar Dri. Oak —5F **9**
Trefoil Ct. L'ver —4E **19**
Tregaron Clo. Oak —5G **9**
Tregony Way. Sin —2H **29**
Trent Bri. Ct. L'ver —3G **19**
Trent Clo. Sin —3H **29**
Trent Dri. L'ver —5H **19**
Trenton Dri. Chad —3B **14**
Trenton Grn. Chad —3B **14**
Trent Rise. Spon —5F **15**
Trent St. Alv —4A **22**
Tresillian Clo. Dar A —5E **7**
Treveris Clo. Spon —5E **15**
Trevone Ct. Alv —6C **22**
Trinity St. Der —5D **12** (6F **3**)
Trocadero Ct. Der —6C **12**
Troon Clo. L'ver —3E **19**
Trowbridge Clo. Oak —5C **8**
Trowels La. Der —5G **11**
Truro Cres. Chad —1G **13**
Trusley Gdns. L'ver —6H **19**
Tudor Field Clo. Chel —4A **32**
Tudor Rd. Chad —3A **14**
Tufnell Gdns. Der —2F **11**
Tulla Clo. Sin —3A **30**
Turnberry Dri. Der —6A **8**
Turner's Almshouses. Der
—3H **11**
Turner St. Altn —5F **21**
Tuxford Clo. Oak —6F **9**
Tweedsmuir Clo. Oak —5D **8**
Twickenham Dri. Der —3E **11**
Twin Oaks Clo. L'ver —4D **18**
Twyford St. Der —6C **12**
Tynedale Chase. Sin —3G **29**

Uffa Magna. Mick —2B **18**
Ullswater Clo. Der —5B **8**
Ullswater Dri. Spon —3E **15**
Underhill Av. Der —4B **20**
Underhill Clo. Der —5A **20**
Underpass, The. Der
—3D **12** (2E **3**)
Upchurch Clo. Mick —6A **10**
Uplands Av. L'ver —5G **19**
Uplands Gdns. Der —1A **20**
Up. Bainbridge St. Der —1B **20**
Up. Boundary Rd. Der —5A **12**
Up. Dale Rd. Der —2B **20**
Up. Hollow. L'ver —2G **19**
Up. Moor Rd. Altn —5G **21**
Uttoxeter New Rd. Der
—6F **11** (4A **2**)
Uttoxeter Old Rd. Der —5H **11**
Uttoxeter Rd. Mick —2B **18**

Vale Mills. Der —6B **12**
Valerie Rd. Ast T —6G **33**
Vale St. Der —1C **20**
Valley Rd. Chad —3B **14**
Valley Rd. L'ver —2H **19**
Vancouver Av. Spon —6D **14**
Varley St. Der —4F **21**
Vauxhall Av. Der —2E **11**

Ventnor Ho. Alv —4C **22**
Verbena Dri. Der —1H **29**
Vermont Dri. Chad —3C **14**
Vernon Dri. Spon —5F **15**
Vernon St. Der —4A **12**
Vestry Rd. Oak —5C **8**
Vetchfield Clo. Sin —3B **30**
Vicarage Av. Der —1A **20**
Vicarage Ct. Mick —2B **18**
Vicarage Dri. Chad —2A **14**
Vicarage La. Duf —2B **4**
Vicarage La. L Eat —6E **5**
Vicarage Rd. Chel —3H **31**
Vicarage Rd. Mick —1A **18**
Vicarwood Av. Dar A —6F **7**
Victor Av. Der —1B **12**
Victoria Av. Borr —1H **23**
Victoria Av. Dray —4E **25**
Victoria Clo. Mick —5C **10**
Victoria Rd. Dray —4E **25**
Victoria St. Der —4C **12** (4C **2**)
Victory Rd. Der —5D **20**
Village St. Der —3A **20**
Villa St. Dray —4F **25**
Vincent Av. Spon —6E **15**
Vincent St. Der —2B **20**
Vine Clo. L'ver —4F **19**
Viola Clo. Oak —4G **9**
Violet St. Der —2B **20**
Vivian St. Der —1D **12**
Vulcan St. Der —2D **20**

Wade Av. L'ver —1G **19**
Wadebridge Gro. Alv —6C **22**
Wade Dri. Mick —1C **18**
Wade St. L'ver —2G **19**
Wakami Cres. Chel —2A **32**
Wakelyn Clo. Shard —4D **34**
Walbrook Rd. Der —2B **20**
Waldene Dri. Alv —5A **22**
Waldorf Av. Alv —4A **22**
Waldorf Clo. Alv —4A **22**
Walk Clo. Dray —4E **25**
Walker Bldgs. Chel —4A **32**
Walker La. Der —3B **12** (2B **2**)
Walk, The. Der —6A **20**
Wallace St. Der —4G **11**
Wallfields Clo. Find —2B **28**
Wallis Clo. Dray —4E **25**
Walnut Av. Alv —4B **22**
Walnut Clo. Ast T —5H **33**
Walnut Clo. Chel —5A **32**
Walnut St. Der —4E **21**
Walpole St. Der —3F **13**
Walsham Ct. Der —6B **8**
Walter St. Der —2A **12**
Walter St. Dray —3D **24**
Waltham Av. Sin —1B **30**
Walthamstow Dri. Der —3F **11**
Walton Av. Altn —1G **31**
Walton Dri. Der —4A **20**
Walton Rd. Chad —4H **13**
Wansfell Clo. Mick —2C **18**
Wardlow Av. Chad —1A **14**
Ward's La. Breas —3H **25**
Ward St. Der —5A **12**
Wardwick. Der —4C **12** (3C **2**)
Warner St. Der —6B **12**
Warner St. Mick —2B **18**
Warrendale Ct. Chel —3A **32**
Warren St. Der —3H **21**
Warwick Av. Der —1H **19**
Warwick St. Der —1F **21**
Washington Av. Chad —2B **14**
(in two parts)
Washington Cotts. Borr —2B **24**
Waterford Dri. Chad —5A **14**
Watergo La. Mick —4B **18**
Waterloo Ct. Der —2D **12**
Watermeadow Rd. Alv —6A **22**

Waterside Clo. Dar A —5G **7**
Watson Gdns. Der —3B **12** (1A **2**)
Watson St. Der —2A **12**
(in two parts)
Watten Clo. Sin —3B **30**
Waveney Clo. Alst —2H **7**
Waverley St. Der —4E **21**
Wayfaring Rd. Oak —6E **9**
Wayzgoose Dri. Der
—3E **13** (2H **3**)
Weavers Clo. Borr —2B **24**
Weavers Grn. Mick —2A **18**
Webster St. Der —5B **12** (6B **2**)
Weirfield Rd. Dar A —5G **7**
Welbeck Gro. Alst —4C **6**
Welland Clo. Mick —5B **10**
Wellesley Av. Sun —4H **19**
Wellington Cres. Der
—5E **13** (6G **3**)
Wellington St. Der —6D **12** (6F **3**)
(in two parts)
Wells Ct. Der —4C **18**
Wells Rd. Mick —1C **18**
Well St. Der —2C **12**
Welney Clo. Mick —3B **18**
Welshpool Rd. Der —6B **8**
Welwyn Av. Alst —4D **6**
Welwyn Av. Sh L —1G **31**
Wembley Gdns. Der —3E **11**
Wendover Clo. Mick —2A **18**
Wenlock Clo. Mick —2C **18**
Wensleydale Wlk. Alv —4C **22**
Wensley Dri. Spon —6F **15**
Wentworth Clo. Mick —2D **18**
Werburgh Clo. Spon —5D **14**
Werburgh St. Der —5B **12** (5A **2**)
Wesley La. Ock —4A **16**
Wesley Rd. Alv —6B **22**
Wessington M. Alst —6E **7**
West Av. Der —3B **12** (1A **2**)
West Av. Dray —3D **24**
West Av. N. Chel —2G **31**
West Av. S. Chel —3G **31**
W. Bank Av. Der —1A **12**
W. Bank Clo. Der —1A **12**
W. Bank Rd. Alst —2E **7**
Westbourne Pk. Der —3D **10**
Westbury Ct. Der —6H **11**
Westbury St. Der —6H **11**
West Clo. Dar A —5E **7**
W. Croft Av. L'ver —6H **19**
Westdene Av. Altn —6F **21**
West Dri. Mick —1A **18**
W. End Dri. Shard —4C **34**
Western Rd. Der —6B **12**
Western Rd. Mick —1B **18**
Westgreen Av. Altn —6F **21**
West Gro. Altn —6F **21**
Westhall Rd. Mick —6B **10**
West Lawn. Find —3B **28**
Westleigh Av. Der —3G **11**
Westley Cres. L Eat —4G **5**
W. Meadows Ind. Est. Der
—4E **13** (3G **3**)
Westminster St. Der —3H **21**
Westmorland Clo. Der —3E **13**
Weston Ct. Sh L —2F **31**
Weston Pk. Av. Sh L —2F **31**
Weston Pk. Gdns. Sh L —2F **31**
Weston Rise. Der —5A **32**
Weston Rd. Ast T —6F **33**
West Pk. Rd. Der —1A **12**
West Rd. Spon —4D **14**
West Row. Dar A —6G **7**
W. View Av. L'ver —4F **19**
Westwood Dri. Altn —6F **21**
Wetherby Rd. Der —4F **21**
Weyacres. Borr —2A **24**
Wharfedale Clo. Alst —3H **7**
Wharf, The. Shard —4E **35**
(in two parts)

Wheatcroft Way. Der —5A **8**
Wheatland Clo. Sin —3G **29**
Wheatsheaf Clo. Oak —5G **9**
Wheeldon Av. Der —2A **12**
Wheeldon Mnr. Der —1A **12**
Whenby Clo. Mick —1A **18**
Whernside Clo. Alv —5D **22**
Whinbush Av. Altn —6G **21**
Whiston St. Der —1C **20**
Whitaker Gdns. Der —1A **20**
Whitaker Rd. Der —1H **19**
Whitaker St. Der —1C **20**
Whitby Av. Der —6A **8**
Whitecross Gdns. Der —2A **12**
Whitecross Ho. Der —2A **12**
Whitehouse Clo. Sh L —2F **31**
Whitehurst St. Altn —4F **21**
White St. Der —2A **12**
Whiteway. Dar A —5E **7**
Whitmore Rd. Chad —3H **13**
Whitstable Clo. Der —4H **19**
Whittaker La. Duf & L Eat —4D **4**
(in two parts)
Whittington St. Altn —6F **21**
Whittlebury Dri. L'ver —4D **18**
Whitwell Gdns. Alv —6C **22**
Whyteleafe Gro. Oak —6F **9**
Wickersley Clo. Alst —5E **7**
Widdybank Clo. Alst —5C **6**
Wigmore Clo. Mick —6A **10**
Wildsmith St. Der —3A **22**
Wild St. Der —4H **19**
Wilfred St. Der —1D **20**
Wilkins Dri. Altn —4G **21**
Willesden Av. Der —2E **11**
Willetts Rd. Chad —2A **14**
William St. Der —3B **12** (1A **2**)
Willington Rd. Etw —1C **26**
Willington Rd. Find —6A **28**
Wiln St. Der —2B **20**
Willowbrook Grange. Chel
—4A **32**
Willow Clo. Dar A —5F **7**

Willow Croft. Bo M —1C **32**
Willowcroft Rd. Spon —6D **14**
Willowherb Clo. Sin —3B **30**
Willow Ho. Der —3E **13** (2H **3**)
Willow Row. Der —3B **12** (2B **2**)
(in two parts)
Willowsend Clo. Find —4B **28**
Willson Av. L'ver —3G **19**
Willson Rd. L'ver —4G **19**
Wilmington Av. Alv —6B **22**
Wilmore Rd. Der —6C **20**
Wilmot Av. Chad —4H **13**
Wilmot St. Der —5C **12** (6C **2**)
Wilmslow Dri. Oak —6E **9**
Wilne La. Dray & Long E —1G **35**
Wilne La. Shard —4E **35**
Wilne Rd. Dray —5E **25**
Wilson Clo. Mick —3A **18**
Wilson Rd. Chad —1H **13**
Wilson St. Der —5B **12** (5B **2**)
Wilsthorpe Rd. Chad —2H **13**
Wilton Clo. Sin —3G **29**
Wiltra Gro. Duf —3C **4**
Wiltshire Rd. Der —1F **13**
Wimbledon Rd. Der —3E **11**
Wimbourne Clo. Chel —4A **32**
Wimpole Gdns. Der —3F **11**
Wincanton Clo. Der —2F **21**
Winchcombe Way. Oak —5E **9**
Winchester Cres. Chad —1F **13**
Windermere Cres. Alst —4E **7**
Windermere Dri. Spon —4E **15**
Windley Cres. Dar A —6F **7**
Windmill Clo. Bo M —1D **32**
Windmill Clo. Ock —4A **16**
Windmill Hill La. Der —3G **11**
Windmill Hill Wlk. Der —4C **10**
Windmill Rd. Etw —2B **26**
Windsor Av. L'ver —3F **19**
Windsor Clo. Borr —2A **24**
Windsor Ct. Mick —6B **10**
Windsor Dri. Spon —3F **15**

Windy La. L Eat —5F **5**
Wingerworth Pk. Rd. Spon
—4E **15**
Wingfield Dri. Chad —6D **8**
Winslow Grn. Chad —3C **14**
Winster Rd. Chad —6C **8**
Wintergreen Dri. L'ver —5D **18**
Wirksworth Rd. Duf —3A **4**
Wisgreaves Rd. Der —3H **21**
Witham Dri. L'ver —5H **19**
Witney Clo. Der —3E **21**
Witton Dri. Sin —2H **29**
Woburn Pl. Der —4F **11**
Wolfa St. Der —5B **12** (5A **2**)
Wollaton Rd. Chad —1H **13**
Wollaton Rd. N. Chad —6D **8**
Wolverley Grange. Alv —5D **22**
Woodale Clo. L'ver —5D **18**
Woodbeck Ct. Oak —5F **9**
Woodbridge Clo. Chel —4G **31**
Woodchester Dri. Alv —5D **22**
Woodcote Way. L'ver —4E **19**
Wood Croft. L'ver —3H **19**
Woodford Rd. Der —2E **11**
Woodgate Dri. Chel —4A **32**
Woodhall Dri. L'ver —3C **18**
Woodhurst Clo. Der —1F **13**
Woodland Av. Borr —1A **24**
Woodland Rd. Der —1A **12**
Woodlands Av. Sh L —1G **31**
Woodlands Clo. L Eat —6E **5**
Woodlands La. Chel —5A **32**
Woodlands La. Quar —1D **6**
Woodlands Rd. Alst —2E **7**
Woodlea Gro. L Eat —5F **5**
Woodminton Dri. Chel —2H **31**
Woodrising Clo. Oak —4F **9**
Wood Rd. Chad —5D **8**
Wood Rd. Spon —3G **15**
Woodroffe Wlk. Der —4A **20**
Woodside Dri. Alst —3G **7**
Woods La. Der —6B **12** (6A **2**)
Woodsorrel Dri. Oak —4F **9**

Woodstock Clo. Alst —3D **6**
Woodthorne Av. Sh L —1G **31**
Woodthorpe Av. Chad —3H **13**
Woodwards Clo. Borr —2B **24**
Woolrych St. Der —1B **20**
Worcester Cres. Der —1F **13**
Wordsworth Av. Sin —6A **20**
Wordsworth Dri. Sin —6C **20**
Wragley Way. Sin —3G **29**
Wren Pk. Clo. Find —4B **28**
Wretham Clo. Mick —3B **18**
Wroxham Clo. Sh L —1F **31**
Wyaston Clo. Alst —6E **7**
Wye St. Alv —3A **22**
Wyndham St. Alv —4A **22**
Wynton Av. Alv —3H **21**
Wyvern Bus. Pk. Chad —6A **14**
Wyvern Retail Pk. Der —5A **14**
Wyvern Way. Chad —5H **13**

✔ **Y**armouth Ho. Alv —4C **22**
(off Durley Clo.)
Yarrow Clo. Sin —3A **30**
Yarwell Clo. Der —6B **8**
Yates Dri. Der —1C **20**
Yates St. Der —2C **20**
Yeovil Clo. Alv —4C **22**
Yewdale Gro. Oak —4F **9**
Yews Dri. Chel —4A **32**
Yew Tree Av. Ock —4B **16**
Yew Tree Clo. Alv —4C **22**
Yew Tree La. Thul —1F **33**
York Bri. Der —5E **13** (5G **3**)
York Rd. Chad —2H **13**
York St. Der —4A **12**
Youlgreave Clo. Chad —6D **8**
Young St. Der —2B **20**
Ypres Rd. Alst —5C **6**

Zetland Cres. Sin —3G **29**
